Une belle
brochette de bananes

Jean-Philippe Arrou-Vignod

Une belle brochette de bananes

Histoires des Jean-Quelque-Chose

Illustré par Dominique Corbasson

GALLIMARD JEUNESSE

la photo mystère

– Messieurs, a dit papa, rassemblement au salon. Et que ça saute !

C'était un samedi de novembre, à Cherbourg, et à la façon dont papa a dit « Messieurs », on a aussitôt compris que ça allait sacrément barder pour nos matricules.

Le samedi, d'habitude, papa est d'excellente humeur. D'abord parce qu'on va tous à l'école, sauf Jean-F. bien sûr, et qu'il peut traîner à la maison, écouter de la musique classique ou faire du bricolage sans nous avoir dans les pattes. Ensuite, parce que c'est le seul jour de la semaine où papa vient nous chercher à l'école. À quatre heures et demie, quand s'ouvre le portail de la cour, on aperçoit de loin sa pipe qui lance joyeusement de petits nuages vers le ciel.

En plus d'être très fort comme médecin, papa est très grand. À côté, tous les autres pères d'élèves ont l'air de parents nains. Il nous prend nos cartables et on rentre sans se presser en lui racontant notre semaine. Quelquefois, on traîne entre hommes devant la vitrine du magasin d'électroménager, histoire de regarder un bout de match dans les téléviseurs en promotion et, après, il faut sprinter jusqu'à la maison parce qu'on est salement en retard pour le goûter et que maman va s'inquiéter.

Dès qu'on a vu la tête de papa ce samedi-là, on a su que quelque chose n'allait pas. Il avait les mâchoires tellement serrées qu'on entendait craquer le tuyau de sa pipe.

On est rentrés sans un mot à la maison. Il fallait presque courir pour le suivre et, quand on a tous été rassemblés au salon, il a claqué si fort la porte que le bébé Jean-F. s'est mis à hurler à l'autre bout du couloir.

– C'est pas moi, a bredouillé Jean-C. avant même de savoir de quoi on était accusés.

– Plaît-il ? a fait papa.

– D'abord, j'étais même pas là, a rebredouillé Jean-C.

– Moi non plus, z'étais pas là, a zozoté Jean-E. qui a un cheveu sur la langue.

– Plus un mot, a ordonné papa. Vous parlerez quand je vous interrogerai, pas avant.

Jean-A. et moi, on s'est regardés par en dessous, récapitulant à la vitesse de la lumière ce qu'on avait bien pu faire pour le mettre dans un tel pétard.

D'habitude, le samedi, pendant qu'on fait nos devoirs, papa s'installe à la table de la salle à manger avec un tube de colle, des gommettes double face, une paire de ciseaux et les dernières photos qu'il a prises. Chaque année, il commence un nouvel album, illustré de petites légendes : « Un an de plus pour Jean-B. ! », « Noël au Mont-d'Or », « Visite de papy Jean et de mamie Jeannette », « Notre nouvelle voiture »...

Papa adore faire ses albums. Les photos y sont aussi bien classées que ma collection de vignettes Panini, protégées par une feuille de papier cristal qu'il ne faut surtout pas corner quand on la tourne.

De nos chambres, tandis qu'on travaille, on l'entend qui fredonne « pom ! pom pom ! ». Mais ce jour-là, il n'avait pas l'air d'avoir envie de fredonner du tout.

– En allant vous chercher à l'école, cet après-midi, je suis passé retirer les photos que j'avais données à développer, a commencé papa d'une voix glacée. Celles de dimanche dernier, vous vous souvenez ? Cette passionnante visite des églises romanes de la région durant laquelle vous avez tous fait la tête… Le photographe a bien rigolé en me les donnant. Moi, beaucoup moins.

Il s'est tu un instant, le temps de nous fusiller du regard l'un après l'autre.

– Auriez-vous l'extrême amabilité de m'expliquer ce que fait *ceci* au milieu de mes photos de cloîtres et de Vierges à l'Enfant ?

Il avait tiré de la pochette une photographie sur papier glacé. Quand il nous l'a mise sous le nez, le fou rire que j'ai tenté d'étouffer s'est transformé en un atroce gargouillement.

– C'est la lune ? a demandé Jean-D. en ouvrant des yeux ronds.

– Une soucoupe volante ? a proposé Jean-C.

– Pas exactement, a corrigé papa en se pinçant l'arête du nez.

À côté de moi, Jean-A. était secoué de spasmes comme s'il avait mis les doigts dans une prise de courant.

– Il s'agit de fesses, messieurs, a dit papa en faisant un terrible effort pour conserver son calme. D'un postérieur que l'un d'entre vous a trouvé malin de photographier, en empruntant *mon* appareil sans autorisation, pour immortaliser la partie la plus charnue de son anatomie.

La photo était un peu floue, forcément. Pas facile de descendre son pantalon de pyjama et de photographier ses fesses nues à l'aveugle. Mais il n'y avait que Jean-C. pour prétendre qu'il pouvait s'agir d'une soucoupe volante.

– Je ne vous le demanderai pas deux fois, messieurs, a rugi papa. À QUI APPARTIENNENT CES FESSES ?

Un silence de mort lui a répondu.

– Très bien, il a soupiré. Vous serez tous expédiés aux enfants de troupe.

– Pourquoi ça serait nous, d'abord ? a tenté de protester Jean-A. C'est peut-être le marchand de photos qui...

– Je ne suis pas physionomiste, a coupé papa, mais je sais encore reconnaître les fesses de mes propres enfants.

– Ça veut dire quoi, fessionomiste ? a demandé Jean-E.

– Là n'est pas la question, s'est emporté papa qui ne semblait pas disposé à se lancer dans une leçon de vocabulaire. Je répète ma question une dernière fois : à qui appartiennent ces fesses ?

– C'est celles de Jean-B., a accusé Jean-C. Je reconnais son pyjama.

– Quoi ? j'ai fait. Répète un peu pour voir !

Sur la photo, on devinait vaguement un pantalon baissé. Mais ça n'était pas un très bon indice, vu qu'on a tous les mêmes. Maman les achète par correspondance à La Famille Moderne, six pyjamas à rayures comme les tenues de bagnards des frères Dalton dans la bande dessinée de Lucky Luke.

– Ze parie que c'est celles de Zean-C., a zozoté Jean-E. en étudiant la photo de près comme s'il était Sherlock Holmes. C'est le seul à avoir le derrière zoufflu.

– Joufflu, mon derrière ? s'est étranglé Jean-C.

Il avait les joues si écarlates qu'on avait du mal à imaginer que des fesses aussi blanches puissent lui appartenir.

Mais à y bien réfléchir, c'était tout à fait le genre de choses dont Jean-C. aurait été capable. Pour se venger, par exemple.

Sur la photo d'anniversaire qu'avait prise papa pour ses cinq ans, il n'a presque plus de dents si bien qu'on dirait qu'il a un vieux peigne à la place de la bouche. Comme Jean-A. l'avait menacé de la montrer à sa future fiancée, Jean-C., quelques semaines plus tôt, avait discrètement enlevé la photo de l'album. Papa s'en était aperçu, à cause de la place vide qu'elle avait laissée, et ça avait sacrément bardé pour son matricule.

Jean-C. s'est récrié.

– Je le jure, c'est pas mon c...

– Pardon ? l'a interrompu papa en levant un sourcil.

– Euh... je jure que c'est pas moi le coupable, s'est rattrapé Jean-C.

– J'aime mieux ça, a dit papa. Vous avez dix secondes pour vous dénoncer. Sinon... sinon...

Il a laissé la menace planer quelques instants au-dessus de nos têtes. On retenait tellement notre souffle que, quand la sanction est tombée, mes poumons se sont dégonflés d'un seul coup comme un vieux ballon de foot.

– Eh bien, a conclu papa, vous serez tous privés de télévision jusqu'à nouvel ordre, voilà.

C'était pire que tout ce qu'on aurait pu imaginer.

– On n'a pas la télé, de toute façon, a remarqué Jean-A. avec une grimace de décapité.

– Pour des raisons éducatives dans lesquelles je n'ai pas envie d'entrer pour le moment, a confirmé papa. Mais plus question d'aller chez vos camarades voir *Zorro* tant que le responsable de cette blague d'un goût douteux ne se sera pas dénoncé.

Jean-A. est devenu livide.

– C'est pas juste, il a protesté. Pourquoi on payerait pour les moyens ?

– C'est vrai, j'ai renchéri. C'est des fesses de moyens, ça se voit comme le nez au milieu de la figure.

– Les fesses n'ont pas de nez, je te signale, a remarqué Jean-D.

– Et pas de lunettes non plus, a ricané Jean-C. Dommage, on aurait pu reconnaître le derrière de bigleux de Jean-A.

– Répète un peu pour voir ? a fait Jean-A.

Papa est resté inflexible.

– Très bien, il a dit en rangeant la photo dans sa pochette. Puisque notre artiste clandestin n'a pas le courage de ses actes, filez immédiatement dans vos chambres. Vous êtes privés de piscine, naturellement, mais aussi de dîner, et ce jusqu'à ce que mort s'ensuive. C'est bien clair ?

Ça tombait vraiment mal parce que, le samedi soir, après la piscine, maman fait des gougères. C'est mon plat préféré et je l'entendais qui s'activait déjà dans la cuisine, disposant sur la plaque du four de petites boules onctueuses de pâte à chou au fromage.

La tête basse, on a quitté le salon en file indienne en se balançant des coups de pied.

– Et que je ne vous entende pas vous disputer, a crié papa, ou ça bardera pour vos matricules !

– Les moyens nous le paieront, a grommelé Jean-A. en grimpant sur le lit du haut. Je devais passer mon brevet de brasse coulée aujourd'hui...

Le sommier a couiné dangereusement quand il s'est laissé tomber sur le matelas, avant de lancer ses chaussures à l'autre bout de la chambre.

– Je te rappelle que c'est à cause de *tes* fesses qu'on est tous punis, j'ai dit en me jetant sur le lit du dessous.

La tête effarée de Jean-A. a surgi à l'envers au-dessus de moi.

– Quoi ? T'étais pas avec moi, peut-être ?

– C'est *tes* fesses, pas les miennes.

– *Tes* fesses de minus n'auraient même pas impressionné la pellicule, il a ricané avant de m'expédier une chaussette sale dans la figure.

– Minus toi-même, j'ai riposté en lui arrachant sa couverture.

– Tu veux que je descende te mettre une déculottée ? il a demandé.

– Essaye un peu pour voir.

On a continué comme ça un moment, puis on a pris un livre et on ne s'est plus adressé la parole de tout l'après-midi.

Ni lui ni moi ne savions exactement comment ça avait commencé.

Quand on était rentrés de promenade le dimanche

d'avant, on en avait tous par-dessus la tête, de l'art roman. Papa et maman adorent les sorties éducatives. On avait passé la journée à courir les églises sous la pluie et à écouter maman nous lire avec enthousiasme toutes les pages du guide consacrées aux joyaux de la Normandie médiévale.

Plus tard, dans la nuit, on s'était relevés pour aller boire, Jean-A. et moi, et c'est là qu'on avait trouvé le Kodak de papa.

Papa tient à son appareil photo comme à la prunelle de ses yeux. C'est maman qui le lui a offert pour son anniversaire, avec une housse en cuir marron qu'on peut porter en bandoulière, un cordon retardateur et un chiffon en peau de chamois spécial pour nettoyer l'objectif sans le rayer.

Depuis que Jean-C. avait ouvert le boîtier par mégarde et que toute la pellicule des grandes vacances avait été fichue, on avait l'interdiction formelle d'y toucher.

Alors forcément, cette nuit-là, on l'avait pris, on avait fait semblant de se photographier en grimaçant comme des malades et, forcément aussi, ça avait dégénéré.

– Tu veux voir une église romane qu'il n'y a pas dans le Guide Bleu ? avait rigolé Jean-A. à un moment.

Je n'avais pas eu le temps de répondre : il avait

déjà baissé son pantalon de pyjama et il s'était pho-
tographié le derrière en gros plan.

– T'es malade? j'avais protesté. Papa va nous
tuer!

Mais on riait tellement qu'on en avait les larmes
aux yeux.

– T'inquiète, il avait fait. On dira que c'est le
popotin de Jean-C.

Ni Jean-A. ni moi n'avions eu le courage de nous
dénoncer. Et maintenant, on allait mourir d'ina-
nition dans nos chambres, alors qu'une délicieuse
odeur de gougères commençait à flotter dans l'air.

– À cause de tes blagues débiles, on va rater tous
les prochains épisodes de *Zorro*, j'ai dit en bourrant de coups de pied le matelas de Jean-A.

– Et *La Piste aux étoiles*, il a gémi, avant de m'as-
sener un grand coup de polochon sur le crâne. Et
c'est aussi ta faute si on ne va pas à la piscine!

– Tu veux que je monte? j'ai menacé.

– Si tu crois que j'ai peur de tes petits poings...

– De toute façon, j'ai dit, tu nages comme une
patate. Jamais ils te donneront ton brevet.

– Ah ah! il a fait. Tu rigoleras moins quand je
serai admis chez les nageurs de combat.

– Avec tes lunettes de bigleux? Elles rentreront
jamais dans ton masque.

– C'est pas moi qui ai eu le vertige l'autre jour, en

haut du grand plongeoir, et qui ai dû redescendre à quatre pattes.

– J'ai pas de leçon à recevoir d'un type qui fait des autoportraits de ses fesses, j'ai dit.

On entendait des coups sourds dans la chambre à côté. C'était Jean-C. et Jean-D. qui se battaient comme des chiffonniers. Mais le plus à plaindre, c'était Jean-E. Il partage sa chambre avec le bébé Jean-F. et, comme celui-ci dort presque tout le temps, il devait se barber tout seul, sans personne avec qui se bagarrer.

Pour un samedi après-midi, c'était vraiment réussi.

Plus tard, alors que j'étais en plein dénouement de mon Club des Cinq, la porte de la chambre s'est ouverte brusquement.

C'était papa.

– Caramba ! a gémi Jean-A. On est faits !

Papa n'a pas dû l'entendre parce qu'il s'est raclé la gorge avant d'annoncer :

– Punition levée, par mesure exceptionnelle… Visiblement, il a ajouté d'un air pincé, votre mère a un sens de l'humour plus développé que moi.

– Et pour la privation de télé ? j'ai murmuré.

– On verra plus tard, a dit papa. Pour l'instant, en pyjama tous les deux et filez mettre la table. Les gougères n'attendent pas.

– Merci, papa ! on a crié en chœur avant de sauter à bas de nos lits.

On l'avait vraiment échappé belle.

Sauf que papa a piqué une nouvelle colère en découvrant ce que les moyens avaient collé sur leur porte pour se venger d'être punis.

On aurait dit une affiche comme on en voit dans les westerns, quand le shérif recherche un hors-la-loi archidangereux.

Au lieu d'un visage, ils avaient dessiné maladroitement un popotin sortant d'un pyjama rayé.

Au-dessus, ils avaient gribouillé en lettres bâtons :

WANTED
LUCKY JEAN
LE COBOY QUI PÈTE PLUS VITE QUE SON OMBRE
10 000 DOLARS DE RÉCOMPANSE

– Du Jean-C. tout craché, a pouffé Jean-A. en se tenant les côtes. Il est nul en orthographe.

Pour leur peine, Jean-C. et Jean-D. ont dû copier cinquante fois chacun : « Je m'abstiens d'écrire des gros mots, même pour rire » et « On ne dit pas cowboy mais garçon vacher. »

En tout cas, la photo des fesses nues de Jean-A. figure désormais en bonne place dans l'album de cette année-là.

Papa l'a appelée « La photo mystère ».

Mamie Jeannette a pris un air outré en la voyant. Mais la photo mystère fait beaucoup rire papy Jean, les cousins Fougasse et tous les invités à qui papa montre ses albums au moment du café.

– Eh bien, mon Jean-A., qu'est-ce qui t'arrive ? demande chaque fois papa en tirant malicieusement sur sa pipe. Tu as avalé quelque chose de travers ?

– Non non, bredouille Jean-A., aussi rouge qu'une tomate, avant de se rappeler tout à coup qu'il a une maquette de planeur hyper-urgente à finir dans sa chambre.

Bien fait pour lui. Ça lui apprendra à faire l'intéressant avec la partie la plus charnue de son anatomie.

Nous, les Jean

Les jours où il pleut, quand je n'ai plus rien à lire ni plus envie de me faire ratatiner par Jean-A. au jeu des 1 000 Bornes, j'adore me plonger dans les albums photos de papa.

Ce sont de gros volumes à couverture de carton qui sentent la colle Scotch et le produit pour nettoyer les vitres. En réalité, c'est l'odeur du fixateur qui empêche les photos de s'effacer quand on les a développées. Les albums sont rangés sur l'étagère la plus basse de la bibliothèque, et ils sont si serrés les uns contre les autres qu'il faut faire attention, quand on en sort un, à ne pas en déchirer le dos.

Je les appelle les Albums des Jean, un peu comme

les *Albums des jeunes* que papy Jean nous offre chaque année pour Noël : des recueils d'histoires incroyables sur des chasseurs de crocodiles, la conquête de l'Ouest ou les meilleurs pilotes des Vingt-quatre Heures du Mans.

Sauf que dans les albums de papa, il n'y a que nous, les Jean, et notre drôle de famille.

On est six garçons. Six frères avec les mêmes oreilles décollées et le même épi au sommet du crâne.

Vivre dans une famille nombreuse, c'est un peu comme être un simple exemplaire dans une collection de figurines publicitaires. Impossible de passer inaperçus quand on sort le dimanche. Surtout habillés tous pareils, avec nos blazers anglais, nos culottes de flanelle et les petites cravates que nous offre grand-maman à chaque Noël... Les gens qu'on croise nous comptent et nous recomptent mentalement en faisant les yeux ronds, comme s'ils étaient victimes d'une illusion d'optique.

– Ils sont à vous, tous ces garçons ?

– Oui, pourquoi ? demande maman.

– Une bien belle famille, s'enthousiasment les gens du ton dont ils parleraient d'un tremblement de terre ou d'une catastrophe ferroviaire. Mais six garçons, tout de même, ça ne doit pas être facile tous les jours...

– Oh ! répond maman avec un petit sourire, il suffit d'un peu d'organisation, voilà tout.

C'est vrai que maman est très organisée : on a tous deux ans d'écart, ce qui est commode pour se refiler nos vieux vêtements, et on est tous prénommés Jean-Quelque-Chose. Comme ça, papa et maman ne peuvent pas se tromper quand ils nous appellent pour mettre la table ou ranger les pièces de Meccano répandues sur le tapis du salon.

À chaque rentrée des classes, papa nous photographie deux par deux, la main sur la porte, quand on part à l'école. On a nos gros cartables sur le dos et l'air réjoui d'une cordée d'alpinistes qui s'apprêtent à escalader l'Himalaya sans oxygène en pleine tempête de neige.

Dans l'Album des Jean de l'année 1968, on habite encore à Cherbourg.

Celui qui grimace sur la photo, c'est l'aîné, Jean-A., surnommé Jean-Ai-Marre parce qu'il râle tout le temps. Comme on a fait une bataille de brosses à dents dans la salle de bains, les verres de ses lunettes sont constellés de dentifrice.

Jean-A. entre en 5ᵉ. Il fait celui qui n'a pas la trouille mais on voit bien qu'il est blanc comme un cachet d'aspirine. Il a grincé des dents toute la nuit en se battant contre son polochon et il n'a rien pu avaler au petit déjeuner.

Derrière lui, c'est moi, Jean-B., alias Jean-Beau-Gosse.

Enfin, c'est le surnom que je me donne. Jean-A., qui est maigre comme un parapluie, m'appelle Jean-Bon parce qu'il est jaloux de ma musculature d'athlète.

Tous les deux, on est inscrits dans le même établissement. Mais comme Jean-A. ne veut pas être vu avec un minus, on a décidé de se séparer à la moitié du chemin et d'arriver chacun de notre côté pour faire croire qu'on est fils uniques.

Sur cette photo, on fait tous les deux une drôle de tête. Maman a tenu à ce qu'on aille chez le coiffeur avant la rentrée. « Comme d'habitude, s'il vous plaît : bien dégagé autour des oreilles », elle a demandé, et le coiffeur nous a tellement ratiboisés que jamais on ne pourra se faire de nouveaux copains.

– Parle pour toi, a dit Jean-A. Tu paries que je me fais élire chef de classe en moins de deux ?

– Avec tes oreilles décollées ? Tu rigoles ! Personne ne voudra voter pour Dumbo.

La photo en dessous, c'est celle des moyens, Jean-C. et Jean-D.

De Jean-C., alias J'en-C-Rien, on ne voit que le dos et l'arrière du crâne. Il a choisi juste le moment où papa appuyait sur le déclencheur pour se rappeler qu'il avait oublié son cartable dans la chambre. Jean-C. est si distrait qu'il ne reconnaît toujours pas sa main droite de la gauche. Quand il sera grand, il veut être tireur d'élite. En attendant de passer professionnel, il fabrique lui-même ses projectiles avec de petits morceaux de carton pliés en deux, se passe un élastique entre le pouce et l'index à la façon d'une mini-fronde, et il canarde tout ce qui bouge en poussant des cris de Sioux.

Un jour, avec Jean-D., ils ont voulu jouer à Guillaume Tell. Jean-D. s'était posé une pomme sur la tête, Jean-C. avait visé en fermant l'œil gauche et *paf!* il avait tiré en plein dans le nez de papa qui entrait sans prévenir dans leur chambre.

Ça avait sacrément bardé pour leur matricule.

Jean-D., le quatrième, c'est Jean-Dégâts, le brise-tout de la famille. Rien ne lui résiste tellement il est maladroit.

Sur la photo de cette rentrée des classes, il a une tête d'enfant modèle. Il se tient au garde-à-vous, les bras le long du corps, un sourire niais sur la figure et deux fossettes en forme de virgules qui lui creusent les joues.

Ce n'est que quand il a collé la photo dans l'album

que papa a découvert avec horreur ce qui dépassait du cartable de Jean-D. ce jour-là.

Papa n'en croyait pas ses yeux.

– Tu as emporté ta flûte ? il a dit.

– C'est pas une flûte : c'est une sarbacane, a diagnostiqué Jean-C.

– Une sarbacane ? a répété papa.

– Celle de Jean-B., a confirmé Jean-C.

Jean-D. n'en menait pas large. Il a pris un air ahuri.

– Une *sarbacane* ? il a répété comme s'il découvrait ce mot pour la première fois de sa vie. Ça alors ! Qui a mis ce truc en cachette dans mon cartable sans que je m'en aperçoive ?

Papa s'est à moitié étranglé.

– Félicitations, mon garçon. Une façon originale de commencer ton année scolaire. Pourquoi pas un lance-torpilles ou un bazooka ?

– On en a pas, a remarqué Jean-C. qui s'y connaît en armes à feu. Tu crois qu'on pourra en demander un à Noël ?

– Avec la Winchester de Josh Randall ? a demandé Jean-D.

– Et le fusil de Davy Crockett ? a proposé Jean-C.

Jean-E. a aussitôt entonné le générique du feuilleton télévisé, et même le bébé Jean-F., qui n'a pourtant que trois mois, s'en est mêlé lui aussi : il s'est mis à faire des bulles avec sa bouche en imitant les rafales d'une mitraillette.

Alors, forcément, papa a perdu son calme légendaire.

– Un mot de plus, il a dit, et vous fêterez Noël aux enfants de troupe. Me suis-je bien fait comprendre ? C'est toujours comme ça avec les moyens : quoi qu'on fasse, il faut toujours que ça dégénère.

Les petits, c'est Jean-E., surnommé Zean-E. parce qu'il a un cheveu sur la langue, et le bébé Jean-F. qu'on appelle Jean-Fracas vu qu'il pleure tout le temps.

Ils ne vont pas encore à l'école mais papa les a quand même pris en photo devant la porte, comme s'ils faisaient leur rentrée, pour ne pas qu'ils soient jaloux des plus grands.

La veille, alors que maman écossait des petits pois à la cuisine, Jean-E. s'était assis en face d'elle sans un mot. Il avait les bras croisés et le menton qui tremblait.

– Qu'est-ce qu'il y a, mon Jean-E. ? avait demandé maman.

– C'est Zean-A., a fait Jean-E. en ravalant un sanglot. Il a dit que z'irai zamais à l'école parce que ze zézaye.

– Tu ne zézaies pas vraiment, mon Jean-E., l'a

rassuré maman. Tu as juste un tout petit cheveu sur la langue, rien de plus.

– Mais est-ce que ze zézaye ou est-ce que ze zozote ? a demandé Jean-E. d'une toute petite voix.

Maman ne rate jamais une occasion d'enrichir notre vocabulaire.

– Apprends, mon Jean-E., que ces deux mots sont synonymes.

– Ça veut dire quoi, synonymes ? a reniflé Jean-E.

– Eh bien, a dit maman, ce sont des mots qui ont le même sens. Mais ne t'inquiète pas, mon chéri : avec tes dents définitives, tu n'auras plus de problèmes d'élocution.

– Ça veut dire quoi, élocution ? s'est inquiété Jean-E. en fronçant les sourcils.

– C'est quand on pique-nique à la plage et qu'il faut attendre deux heures avant de retourner dans l'eau, est intervenu Jean-C.

Personne ne l'avait entendu entrer dans la cuisine. Il a pris un petit pois dans le saladier et *vlan!* il l'a expédié d'une pichenette en plein dans l'œil de Jean-E.

– Pas exactement, a fait maman qui semblait moins enthousiaste subitement à l'idée d'enrichir notre vocabulaire. Tu confonds avec l'hydrocution.

– Ça fait zozoter, l'hydrocution ? a demandé Jean-E. en donnant un coup de pied à Jean-C.

– Bon, a dit maman. Et si vous disparaissiez dans vos chambres jusqu'au dîner ?

– D'un point de vue médical, a commencé papa en entrant à son tour, l'hydrocution, mon garçon, est un mécanisme physique qui...

– Je crains que ce ne soit pas le sujet, chéri, l'a interrompu maman.

– Ah ! a dit papa, un peu déçu. Et quel est le sujet alors, chérie ?

– Je n'en ai plus aucune idée, à vrai dire, a grimacé maman.

– C'est la location, a expliqué Jean-C.

– C'est le zézaiement, a corrigé Jean-D. en entrant à son tour.

– Pardon ?

– Jean-E. ne veut pas croire qu'il zézaye.

– Quoi ? a dit papa en se tournant vers maman. Un de mes enfants zézaie ? Pourquoi suis-je toujours le dernier informé dans cette maison, chérie ?

Maman a fermé les yeux.

– Je crois que je commence à avoir la migraine, elle a murmuré.

Heureusement pour elle, le bébé Jean-F. s'est mis à hurler dans son berceau, et maman en a profité pour aller lui donner son biberon.

Pas de chance pour papa, par contre : pour une fois qu'il était rentré tôt du travail, il s'est retrouvé à écosser les petits pois avec Jean-C., Jean-D. et Jean-E.

– Finalement, il a murmuré, je ne suis pas fâché que ce soit la rentrée demain matin. Mais avant de débarrasser le plancher... pardon, avant de partir en classe, n'oubliez pas : séance photo en grande tenue dans l'entrée.

– Oui, papa, ont dit Jean-C., Jean-D. et Jean-E.

– Et que je ne voie personne en chaussons comme l'an dernier, a ajouté papa. À moins, bien sûr, que vous n'ayez l'intention de faire votre rentrée aux enfants de troupe l'an prochain. Me suis-je bien fait comprendre ?

la bataille navale

Quelquefois, en regardant les Albums des Jean, je me dis que la vie serait bien plus facile dans les familles si les moyens n'existaient pas.

Leur espèce pourrait disparaître tout bonnement de la surface du globe, comme les hommes de Neandertal, et personne ne les regretterait. On retrouverait leurs fossiles des siècles plus tard, et les archéologues s'interrogeraient pour savoir quel genre de créatures avaient bien pu vivre sur cette Terre avec des oreilles aussi décollées.

Sauf que, comme l'a fait remarquer Jean-A., sans Jean-C. ni Jean-D., c'est moi qui en deviendrais un, de moyen, coincé entre Jean-A. et Jean-E.

Et ça, pas question : plutôt me mettre la tête dans le four que de vivre dans la peau d'un moyen !

À bien y réfléchir, être six n'a pas que des inconvénients. D'abord, on a moins souvent à débarrasser la table ou à descendre la poubelle que si on était fils unique, comme François Archampaut par exemple.

François Archampaut, c'est mon meilleur copain à Cherbourg. J'ai beau l'envier quelquefois, il n'a personne avec qui jouer ou se bagarrer toute la journée. Il passe ses après-midi à faire des solitaires ou des parties d'échecs contre lui-même. Même s'il gagne à chaque fois, ça ne doit pas être drôle tous les jours. Alors qu'à la maison, inutile de chercher quelqu'un à plumer au Monopoly : Jean-C. et Jean-D. sont toujours partants, à condition de tenir eux-mêmes la banque. Jean-C. achète à chaque fois des hôtels sur des rues où on ne tombe jamais. Quant à Jean-D., on peut piquer des billets en douce dans la caisse sans qu'il s'en aperçoive.

Mais ce que je préfère, ce sont les parties de bataille navale avec Jean-A.

Allongés l'un au-dessus de l'autre sur nos lits superposés, on prend du papier quadrillé, on dessine des carrés de dix sur dix et on y dispose en secret nos bateaux : une case pour un torpilleur, deux pour un sous-marin, trois pour un cuirassier et quatre cases pour un porte-avions.

Comme Jean-A. occupe le lit du haut, je suis obligé de cacher ma feuille avec mon coude pour l'empêcher de tricher.

– B4.

– Dans l'eau.

– T'es sûr ?

– Tu me prends pour un marin d'eau douce ? Tiens, prends ça dans la poupe : E8 !

– Félicitations, capitaine ! Un coup magistral : en plein dans rien !

– Quoi ?

– Tu serais même pas capable de couler un pédalo.

– Tu veux qu'on en vienne aux mains ?

– Essaye un peu pour voir.

À la bataille navale, Jean-A. a une stratégie qu'il croit infaillible : il colle tous ses bateaux contre le bord en pensant que je vais tirer au milieu. En général, ça se termine par une volée de chaussettes sales. Les moyens en profitent pour essayer d'entrer dans notre chambre, et forcément, ça dégénère en bataille rangée : accrochés aux montants comme des corsaires, on les empêche de prendre d'assaut nos lits superposés.

Puis c'est Jean-E. qui déboule à son tour en brandissant l'épée en plastique de sa panoplie.

– À l'abordaze !

– Alerte ! Zozoteur à bâbord ! crie Jean-A.

– Ze suis Barbe-Rouze le pirate, pas un zozoteur! s'énerve Jean-E. en distribuant des coups d'épée dans tous les sens.

– Eh! t'es malade! Ça fait mal...

– M'en fice! Ça va être un carnaze!

– Feu à volonté! j'ordonne. On se laissera pas capturer par des Pygmées.

– Tu sais ce qu'ils te disent, les Pygmées? riposte Jean-C. en nous canardant avec son élastique.

Depuis que papa a confisqué la mienne, Jean-A. et moi, on s'est fabriqué des sarbacanes de poche avec des tubes de stylos-bille. Dedans, on glisse de minuscules boulettes de papier bien mâchouillées. Mais rapidement, à deux contre trois, on est obligés de se réfugier sur le lit du haut.

Jusqu'à ce que Jean-A. découvre que j'ai mis mes pieds sales sur son oreiller... Et là, ça dégénère totalement. Plus d'alliés : chacun tape comme un sourd sur tout le monde.

C'est le moment que choisit en général maman pour débarquer par surprise.

– Bravo, les enfants. C'est ça que vous appelez un jeu calme et éducatif?

– On faisait juste une bataille navale, essaie de protester Jean-A. qui a des plumes de polochon plein les cheveux.

– D'après papa, ça stimule la réflexion et le sens tactique, j'explique.

– Vous jeter des jouets à la tête stimule votre réflexion ?

– C'est les moyens qui ont commencé.

– C'est pas nous ! On faisait nos devoirs tranquillement et ils nous ont attaqués à coups de chaussettes.

– De çaussettes sales, en plus ! renchérit Jean-E.

– Très bien, dit maman sans perdre son calme. Fin des jeux éducatifs. Vous avez jusqu'au dîner pour me ranger vos chambres et finir vos devoirs. Me suis-je bien fait comprendre ?

Finalement, ce n'est pas si mal d'être une famille nombreuse. Être punis tous ensemble est quand même plus agréable que d'être puni tout seul.

Surtout qu'avec les talkies-walkies que nous a offerts papy Jean, on peut continuer à se chamailler en douce.

– Allô ? C'est les moyens ? fait Jean-A.

– *Brzzz scrouitch...* Non, c'est le Père Noël, répond Jean-C.

– T'es assis dans une poêle à frire ou quoi ?

– *Brzzz scrouitch...* C'est le talkie qui grésille, banane.

– N'empêche, on vous a mis une sacrée dérouillée !

– Viens le dire ici si t'es un homme.

– Je ne m'acharne pas sur des blessés, ricane Jean-A.

– *Brzzz scrouitch…*

– Je comprends rien à ce que tu racontes. T'as un cheveu sur la langue, toi aussi ?

– C'est pas moi qui zozote, banane. *Brzzz scrouitch…* C'est mon talkie.

– Parce que tu crois qu'il est à toi ? C'est à Jean-B.
et à moi que papy Jean l'a offert, je te rappelle.

– Oui, mais vous êtes dans la même chambre,
brzzz scrouitch… Il vous sert à rien.

– Si on vient le chercher, ça va saigner. Allô, t'es
toujours là ?

– Oui oui, *brzzz scrouitch*… J'étais juste en train
de me nettoyer l'oreille avec l'antenne de ton talkie.

– Quoi ? T'es un homme mort, Jean-C.

– C'est bête. J'ai usé toutes tes piles aussi…

– M'en fous, ricane Jean-A., vert de rage. Tu me les paieras sur ton argent de poche.

– Allô? fait la voix de Jean-C. comme s'il ne nous entendait plus. Allô? Allô?

– Je suis toujours là, banane! hurle Jean-A.

– Mince alors, dit Jean-C. à l'adresse de Jean-D. qu'on entend rigoler en arrière-fond. Plus de communication. Les grands ont dû disparaître dans une faille spatio-temporelle...

– Bon débarras! hurle Jean-D. qui a dû lui prendre le talkie. On pourra tripoter tous leurs timbres de collection avec nos doigts graisseux !

– Et faire des moustaches à leurs images de communion! ajoute Jean-C. dans l'appareil.

À mon tour d'arracher le talkie des mains de Jean-A.

– Touchez un seul de mes timbres magyars et vous aurez affaire à ma prise paralysante !

– *Brzzz scrouitch...*, répond le talkie des moyens. *Brzzz scrouitch... Brzzz scrouitch...*

Cette fois, les piles doivent être vraiment mortes.

À moins que les moyens n'aient été enlevés par des extraterrestres dans une galaxie si lointaine que leur talkie ne capte plus... Ce qui serait la meilleure nouvelle de la journée.

les Jean z'Olympiques

L'année avant la naissance de Jean-F., on est allés passer quelques jours à Bordeaux chez papy Jean et mamie Jeannette.

Ça tombait bien parce que papy Jean et mamie Jeannette ont la télé et que c'était les jeux Olympiques d'hiver.

Jean-A. et moi, on était excités comme des malades. On parlait des JO depuis des mois, à l'école, et on avait dépensé tout notre argent de poche en vignettes Panini pour avoir la collection complète des membres de l'équipe de France. À la récré, plus de bagarres : tout le monde s'échangeait ses vignettes en double et faisait des paris sur les champions qui gagneraient le plus de médailles d'or.

Sauf qu'on est les seuls enfants de notre génération à ne pas avoir la télé et qu'on savait qu'on allait tout rater...

Alors, quand on a appris qu'on irait chez papy Jean et mamie Jeannette, ça a été une explosion de joie.

– Minute, a prévenu maman. Pas question de vous laisser vous abrutir toute la journée devant la télévision. Et pour du sport, en plus! C'est tout à fait contraire à nos principes éducatifs. N'est-ce pas, chéri?

– Eh bien, a toussoté papa, cela mérite peut-être une petite exception...

– Une exception? a répété maman comme si tous leurs principes éducatifs venaient d'être soufflés brusquement par une explosion nucléaire.

Il faut dire que depuis quelque temps, en rentrant du travail, papa sautait sur le journal : il faisait semblant de lire les nouvelles mais dès que maman avait le dos tourné, il se plongeait dans les pages de sport.

– Après tout, il ne s'agit pas d'*Intervilles* ou d'un vulgaire jeu télévisé, a expliqué papa. Ce sont les jeux Olympiques, chérie, une compétition millénaire, pratiquée depuis la plus haute Antiquité. Assister à un tel événement peut s'avérer très... euh... eh bien, très instructif pour nos garçons.

– Instructif ? s'est étonnée maman. Regarder des casse-cou dévaler des pistes verglacées avec un bonnet très inélégant enfoncé jusqu'aux yeux ?

Papa a retoussoté.

– Tous les pédagogues s'accordent sur ce point : le sport est une école de courage et de dépassement de soi, il a poursuivi. N'oublie pas la noble devise olympique, chérie : « *Citius, altius, fortius !* ». Ce qui se traduit, bien sûr, par... euh... eh bien...

Jean-A. a volé à son secours.

– C'est du latin, papa.

– Merci du renseignement, a répondu ce dernier sèchement.

– Et comme j'en ferai l'année prochaine, a tenté Jean-A., ce sera très formateur pour ma scolarité.

Mais maman n'avait pas l'air convaincue que regarder les jeux Olympiques facilite l'apprentissage des langues mortes.

– De toute façon, a dit papa, je trouverais injuste de priver ton père de ce plaisir innocent simplement parce que nous avons des principes éducatifs.

Contrairement à maman, papy Jean adore le sport. Il a même été champion de pelote basque quand il était jeune, et il y a une photo de lui, dans un cadre de l'entrée, où on le voit vêtu d'un drôle de caleçon qui poche, en train de soulever à bout de bras un haltère d'au moins cent kilos.

— D'ailleurs, a continué papa, il n'est pas question de laisser les enfants sans surveillance devant la télévision. Je resterai avec eux. Comme ça, je tiendrai compagnie à ton père et tu pourras profiter de ta mère en toute tranquillité. Qu'en dis-tu, chérie ? Est-ce que ce n'est pas une merveilleuse idée ?

Maman a secoué la tête d'un air médusé.

— La prochaine fois que nous irons à Bordeaux, elle a dit, rappelle-moi de prévenir mes parents que ce n'est pas *eux* que nous venons voir mais leur télévision, tu veux bien, chéri ?

On allait s'en souvenir longtemps, de ces JO de Grenoble 1967 !

Tous les après-midi, pendant que maman et mamie Jeannette partaient en ville, on se retrouvait au salon pour regarder les compétitions du jour en se bourrant de boissons gazeuses.

— Prêts pour les Jean z'Olympiques, les gars ? demandait papy Jean en allumant la télé.

— Archiprêts ! on répondait en chœur.

— Il fait trop beau pour rester enfermés, protestaient maman et mamie Jeannette avant de sortir. Vous êtes sûrs que personne ne veut…

– Non, non! on disait tous en chœur.

– Amusez-vous bien, leur lançaient papa et papy Jean. Et prenez votre temps, surtout!

Tous deux n'avaient pas l'air mécontents qu'on se retrouve entre hommes pour tout l'après-midi. Papy Jean prenait Jean-E. sur ses genoux, Jean-C. et Jean-D. se partageaient un fauteuil, et chaque fois qu'un Français réalisait une performance, on sautait tous comme des malades en se donnant des claques dans le dos et en s'aspergeant de boissons gazeuses.

Papy Jean avait acheté pour l'occasion un gros poste de télé flambant neuf. Rien à voir avec les petits téléviseurs en noir et blanc minables de nos copains. Les retransmissions étaient en couleurs et on aurait presque pu toucher les athlètes tant l'image était nette.

Le plus impressionnant, c'étaient les sauteurs à skis. Avec leurs lunettes qui leur faisaient des yeux de mouche, on aurait dit des hommes volants. Quand ils jaillissaient du tremplin, mon cœur s'arrêtait presque de battre. Bouche ouverte, je les regardais planer interminablement dans le ciel, leurs skis formant le V de la victoire au-dessus des montagnes enneigées comme s'ils n'allaient jamais retomber.

Le soir, dans mon lit, j'avais du mal à trouver

le sommeil. «Bobsleigh, stem-christiania, slalom géant... Bobsleigh, stem-christiania, slalom géant...» Je me répétais sans fin ces mots comme si ça avait été une formule magique.

– Qu'est-ce que tu marmonnes? s'énervait Jean-A.

– Rien rien, je disais.

Mais je savais que lui aussi, dans le lit à côté du mien, n'arrivait pas à s'endormir.

– *Citius, altius, fortius... Citius, altius, fortius...*

– Parce que tu marmonnes pas, toi non plus? je m'énervais à mon tour.

– Bien sûr que non, banane. Je révise mon latin.

– T'as même pas commencé à en faire!

– Et alors? Je révise à l'avance, c'est tout.

Quand Jean-Claude Killy a raflé sa première médaille d'or, même maman et mamie Jeannette ont commencé à se passionner pour les jeux Olympiques.

À la deuxième, elles étaient incollables sur le slalom spécial. Elles n'ont plus raté une seule compétition, et quand Killy a gagné la troisième médaille d'or, celle de la descente, mamie Jeannette était tellement contente qu'elle a improvisé un dîner de gala pour fêter ce triple exploit.

– Ce soir, spécialité savoyarde! elle a annoncé.

C'était plutôt spécial, en effet. Chacun avait une

pleine assiette de morceaux de pain et, au centre de la table, sur un réchaud, bouillottait un récipient empli d'une matière jaune et collante qui empestait jusqu'au salon.

– Chouette : des croûtons ! a fait Jean-C.

– Du pain rassis ! s'est exclamé Jean-D. C'est mon plat préféré !

On faisait tous une telle tête que ça n'a pas trompé mamie Jeannette.

– C'est une fondue, elle a expliqué avec une petite moue pincée. Un robuste plat montagnard à base de fromage fondu et de vin blanc. Je suis sûre que Jean-Claude Kiwy adore ça, lui.

– Jean-Claude Killy, a corrigé papa.

– Un bien beau garçon, en tout cas, ce Kirry...

– Killy, a corrigé papy Jean.

– Tu ne trouves pas qu'il a du charme ? a poursuivi mamie Jeannette avec malice en se tournant vers maman.

– Eh bien, a dit maman en rosissant légèrement, je dois dire que, sans son bonnet de ski...

Elle n'a pas terminé sa phrase, à cause du regard furax que papa lui a jeté, mais elle n'avait plus l'air de trouver les champions de ski si inélégants que ça.

Ça a été un super dîner savoyard.

Comme il y avait des enfants à table, mamie

Jeannette n'avait pas mis beaucoup de vin blanc dans la fondue. Le fromage faisait des fils si épais qu'on aurait pu tricoter un pull de montagne avec, et Jean-E. en avait déjà plein les cheveux. Quant à Jean-D., il n'arrêtait pas de perdre ses bouts de pain dans le poêlon. Jean-C. et Jean-A. ont commencé à faire de l'escrime avec leurs fourchettes à fondue, alors forcément, papa a un peu perdu son calme.

Surtout quand mamie Jeannette a voulu porter un toast au héros de la journée.

– Pour Jean-Claude Guili, hip hip hip...

– Hourra ! on a tous crié.

– Ki-lly, belle-maman, a corrigé papa en détachant chaque syllabe comme si elle avait été sourdingue. Jean-Claude Ki-lly ! C'est pourtant simple...

– C'est bien ce que j'ai dit, s'est vexée mamie. Est-ce que vous insinuez que je suis complètement gâteuse ?

Papa n'a pas répondu. Mais à la tête qu'il faisait, on a tous compris qu'il aurait préféré continuer à regarder entre hommes les jeux Olympiques.

C'est papy Jean qui a eu le mot de la fin :

– Avec un tel prénom et trois médailles d'or, notre Killy national mérite bien d'être élu membre d'honneur du club des Jean. Qu'en pensez-vous, les garçons ? Levez la main, ceux qui votent pour.

On a tous brandi en l'air nos fourchettes à fondue.

– Personne n'est contre ?

Jean-C., qui ne comprend jamais rien, a encore levé la main et a manqué d'éborgner mamie Jeannette.

– Élu à l'unanimité, alors, a conclu papy Jean. Pour fêter ça, je propose une nouvelle tournée de boissons gazeuses.

Papa et maman se sont regardés. Se ballonner l'estomac avant d'aller au lit était tout à fait contraire à leurs principes éducatifs.

– Au point où nous en sommes…, a capitulé maman.

– Tu as raison, chérie, a dit papa, résigné. En matière d'éducation, c'est comme aux jeux Olympiques : l'essentiel est de participer.

les Gars de la Cathé

En tout cas, c'est grâce à Jean-Claude Killy que, quelques mois plus tard, Jean-A. et moi, on est partis en colo de montagne avec les Gars de la Cathé.

Quand papa et maman nous ont annoncé qu'on irait tous les deux aux sports d'hiver, on n'en croyait pas nos oreilles.

– Pour faire du saut à skis ? Du bob à quatre ? Du patinage sur un anneau de vitesse ? j'ai bredouillé. Comme aux jeux Olympiques ? Merci, papa, merci, maman !

– Ne nous emballons pas, a fait papa en ouvrant la brochure des Gars de la Cathé qu'il avait rapportée de la paroisse. Que dit le programme, chérie ?

– «Initiation au ski alpin et veillées spirituelles dans le cadre vivifiant d'un chalet d'altitude», a récité maman qui semblait le connaître par cœur.

Jean-A., qui sautait d'excitation sur place, a ouvert un œil rond derrière ses lunettes comme s'il avait flairé un piège.

– C'est quoi, des *veillées spirituelles*?

– Eh bien, a commencé papa, c'est un peu comme des soirées télé...

– Mais sans télé, a complété maman. C'est bien ça, chéri?

Papa a hoché la tête.

– Sans télé? a blêmi Jean-A.

– Après une journée de ski et de cadre vivifiant, a assuré maman, la seule chose dont vous aurez envie, c'est d'une bonne nuit de sommeil.

– Et pourquoi on y va pas, nous aussi? ont commencé à râler les moyens.

– Vous êtes trop jeunes encore pour les Gars de la Cathé, a expliqué papa.

Il a tiré quelques bouffées de sa pipe avant de se tourner vers nous.

– J'espère que vous mesurez votre chance, tous les deux. Vu votre engouement récent pour les sports d'hiver, votre maman et moi avons pensé qu'une colo à la montagne pourrait être... euh... comment dire...

– Très positive pour notre développement ? j'ai proposé.

– Exactement, a dit papa.

– Et grâce à vos chers cousins Fougasse, vous serez équipés des pieds à la tête, a complété maman. Ils vous ont envoyé quelques vêtements de ski qui ne leur servaient plus. Est-ce que ce n'est pas très charitable de leur part ? Je compte sur vous pour leur faire une gentille lettre de remerciements, n'est-ce pas ?

En fait, il y a pire que d'être nés dans une famille nombreuse : c'est d'être les cousins des cousins Fougasse.

Ils sont cinq garçons, prénommés tous Pierre-Quelque-Chose, et leurs oreilles sont tellement décollées qu'on dirait qu'ils ont un poêlon à fondue à la place de la tête.

Comme ils sont un peu plus âgés que nous, ils en profitent chaque trimestre pour se débarrasser de leurs vieilles frusques en nous les envoyant par la poste.

– Je préfère skier tout nu que d'enfiler un de leurs pantalons pourris, a prévenu Jean-A.

– Moi aussi, j'ai dit. Plutôt être amputé de tous les doigts que de mettre leurs sales moufles puantes.

Mais maman a été formelle : pas question d'acheter

des tenues de ski hors de prix pour une simple semaine de colo.

Sur la photo qu'a tenu à prendre papa avant qu'on monte dans l'autocar des Gars de la Cathé, Jean-A. et moi, on ressemble à deux bonshommes de neige. Les anoraks des cousins Fougasse nous tombent jusqu'aux genoux et on porte, tout raides sur le crâne, des bonnets à pompon décorés de chamois tricotés.

– Encore une photo, mais avec le sourire, a réclamé papa, l'œil sur le viseur. Je l'enverrai à vos cousins. Ils seront contents de voir que leurs vêtements vous vont à merveille.

– Amusez-vous bien, les enfants ! Et soyez prudents ! a crié maman quand le car a démarré.

Ils sont restés un moment à agiter la main vers nous, et on a dû attendre d'avoir disparu au coin de la route pour balancer les bonnets pourris des cousins Fougasse à l'arrière de l'autocar.

– Plutôt me mettre un putois crevé sur la tête, a grincé Jean-A.

– Tu sais quoi ? j'ai dit. Je parie qu'ils ont craché dedans avant de nous les envoyer.

– Ils nous le paieront cher, a promis Jean-A.

– Tu l'as dit, j'ai juré à mon tour. Ils n'en sortiront pas vivants.

En fait, on n'a pas beaucoup de photos de cette colo aux Gars de la Cathé.

Depuis qu'il avait retrouvé du gruyère fondu sur son objectif, papa avait refusé de nous prêter son Kodak. Heureusement, comme cadeau de communion, Jean-A. avait reçu de papy Jean et de mamie Jeannette un Polaroid ultraperfectionné.

Un Polaroid, c'est un appareil photo à développement instantané. Plus la peine d'apporter sa pellicule chez le photographe. On appuie juste sur le déclencheur et on sort aussitôt la photo à l'aide d'une petite languette située sous le boîtier. Au bout de quelques secondes, l'image apparaît comme par magie.

Il faut juste faire attention en l'attrapant si on ne veut pas qu'elle garde vos empreintes digitales.

– Si tu prends une seule photo de tes fesses avec, tu es un homme mort, m'avait prévenu Jean-A. qui tenait à son appareil comme à la prunelle de ses yeux.

– Tu sais ce que je lui dis, à ton Polaroid ?

– Il n'y a que douze photos dans l'appareil, il avait expliqué. Pas question de les gâcher. À côté du reportage que je vais faire à la colo, tes vignettes Panini sur les jeux Olympiques, c'est de la crotte !

Sur la première photo qu'il a prise, on voit le chalet des Gars de la Cathé avec son toit couvert de neige. Tout le monde est un peu verdâtre, mais ce n'est pas la faute du Polaroid : la route tournait tellement qu'on avait tous vomi au moins deux fois durant le voyage.

On était à peine installés que le mono nous a distribué nos skis. Direction, les pistes !

Jean-A. et moi, on était super-impatients. C'était la première fois de toute notre vie qu'on allait faire du ski. On avait encore des images des jeux Olympiques plein la tête, et quand le mono, pour constituer les groupes, nous a demandé notre niveau, Jean-A. a répondu du tac au tac :

– Médaille d'argent.

– Très drôle, a dit le mono sans sourire. Niveau flocon, première étoile ou chamois ?

– Euh… chamois, s'est rattrapé Jean-A., qui pensait qu'il parlait des motifs tricotés sur les bonnets des cousins Fougasse.

– Et toi ? m'a demandé le mono.

– Chamois aussi, j'ai dit. Enfin, je crois…

– Très bien. Dans le groupe des skieurs confirmés, alors, a dit le mono en nous cochant sur sa liste.

On a rejoint les autres au pied d'une piste tellement haute qu'il fallait se dévisser le cou pour en voir le sommet.

Le temps qu'on parvienne à chausser nos skis, notre groupe avait déjà disparu.

– Ça veut dire quoi, piste noire ? j'ai demandé en lisant la pancarte qui dépassait d'un mur de neige.

– T'inquiète, a dit Jean-A. C'est de la gnognote pour des spécialistes comme nous.

– Tu te la descends en godille ou en stem ? j'ai demandé en me battant contre les crochets de mes chaussures qui n'arrêtaient pas de sauter.

– Plein schuss, il a dit. Et toi ?

– Tout en dérapages contrôlés, j'ai dit après un temps de réflexion. Si tu entends un *bang*, ne t'inquiète pas. C'est que j'aurai franchi le mur du son.

– Quelle banane, ce Jean-B. ! a rigolé Jean-A.

On n'a pas fait très longtemps les marioles.

En fait, le ski, c'est beaucoup plus dur en vrai qu'à la télévision. Rien que tenir dessus sans tomber dix fois dans la neige n'est pas à la portée de tout le monde.

Quand on a été à peu près debout, Jean-A. a demandé au type qui vérifiait nos forfaits de nous prendre en photo avec son Polaroid.

On a voulu poser comme les membres de l'équipe de France, en nous tenant par l'épaule et en faisant le V de la victoire. Sauf qu'on est tombés l'un sur l'autre sans pouvoir nous retenir, et on avait les bâtons et les skis tellement emmêlés qu'il a fallu qu'on déchausse et qu'on recommence tout depuis le début.

Finalement, on a réussi à arriver en crabe jusqu'au tire-fesses. Il ne devait pas faire plus de zéro degré mais on ruisselait sous les anoraks pourris des cousins Fougasse.

– Passe le premier, m'a dit Jean-A. qui soufflait tellement que ses lunettes se couvraient de buée chaque fois qu'il ouvrait la bouche. On se rejoint là-haut.

J'ai pris péniblement ma place dans la file de skieurs qui attendaient leur tour.

Le tire-fesses, il n'y en a pas aux jeux Olympiques. Les champions montent en télésiège en haut des pistes, ce qui va beaucoup plus vite. Mais moi, ça m'arrangeait : il suffit que je grimpe sur un tabouret pour avoir le vertige, et à la simple idée d'être suspendu par un filin au-dessus du vide, je suis capable de tomber direct dans les pommes.

Quand mon tour est venu d'attraper une perche, j'ai raté la première à cause de mes moufles trop grandes. J'ai pris la deuxième dans la figure, et j'ai dû sortir de la queue pour récupérer mes lunettes de ski qui avaient volé dans la neige.

– Qu'est-ce que tu fabriques ? m'a crié Jean-A. Il faut rattraper notre groupe !

Plus facile à dire qu'à faire… J'ai bien dû laisser

passer encore deux ou trois perches. Derrière moi, je sentais les autres skieurs qui s'impatientaient. Mais ils feraient moins leurs intéressants quand je les doublerais dans la descente à la vitesse d'un boulet de canon !

À la fin, habilement, j'ai réussi à saisir une perche. Mais pas assez vite pour me la glisser entre les jambes.

Le câble s'est tendu comme un ressort et j'ai été projeté en avant si fort que j'ai failli lâcher prise.

Heureusement, j'ai des muscles d'acier. Je me suis laissé tirer par les bras dans la montée sur au moins cinquante mètres. Les pointes de mes skis n'arrêtaient pas de se chevaucher, impossible de les garder parallèles, mais au moins, j'avançais.

Jean-A., d'en bas, a salué mon exploit. Il avait ressorti son appareil et j'ai bêtement voulu lever une main, histoire de montrer que le ski alpin n'avait plus de secrets pour moi.

La faute d'inattention fatale qui arrive aux plus grands champions…

La perche m'a échappé, mes skis se sont brusquement séparés et j'ai fait le grand écart.

Un instant, je suis resté en équilibre, moulinant des bâtons pour éviter la chute. Puis j'ai commencé à descendre. Tout schuss, mais à reculons… En plein sur le skieur qui me suivait sur le tire-fesses !

Impossible de m'arrêter. J'en ai fauché un deuxième, un troisième, un quatrième qui tentait de s'écarter…

D'après Jean-A., qui me l'a raconté plus tard, j'ai dégommé toute la file, en fait. Près d'une douzaine de skieurs qui montaient à la queue leu leu derrière moi. Sans la cabane contre laquelle je me suis écrasé finalement, je finissais ma course tout en bas de la vallée.

Quand il m'a rejoint à l'infirmerie de la colo, Jean-A. se tenait les côtes de rire.

– T'es pas près d'être en équipe de France, c'est moi qui te le dis! Ou alors dans celle de bowling, vu le massacre que t'as fait.

– Très drôle, j'ai marmonné. Mais moi, au moins, j'ai descendu une piste noire. Et plein pot, en plus!

– Oui, mais les fesses en avant. C'est pas homologué.

– Quoi?

– Remarque, ça pourrait être une nouvelle épreuve olympique : la descente en marche arrière.

En fait, j'étais vexé comme un pou. Je n'avais rien de cassé, seulement une vilaine entorse à la cheville droite qui me faisait boiter. Mais le ski était fichu pour le reste du séjour. Je passerais ma colo à l'infirmerie du chalet.

– Je t'ai apporté tes affaires, a dit Jean-A. en déposant mon sac au pied du lit. J'aurais dû faire comme toi : au moins, j'aurais eu une chambre individuelle. Ça sent vraiment la niche, au dortoir !

– Parce que tu crois que ça m'amuse d'avoir une entorse ?

– T'es vraiment une banane quand tu t'y mets, a soupiré Jean-A. T'es sûr que tu n'as pas mal ?

– Non, j'ai dit en serrant les dents.

– Dommage. Parce qu'à cause de toi, le mono m'a reversé chez les débutants.

– C'est vrai ?

– Direct chez les nuls ! Franchement, tu me vois sur la savonnette, avec mon niveau ?

– Je suis désolé, j'ai dit.

– Comme si j'en avais quelque chose à faire des excuses d'une banane, il a marmonné. Tu me gâches ma colo, un point c'est tout !

Et il est sorti en claquant la porte à toute volée.

Ce n'est que quand il a été parti que j'ai découvert le sachet de pâtes de fruits qu'il avait laissé sur ma table de chevet.

En fait, c'était peut-être mieux qu'on ne puisse plus skier ensemble. Jean-A. est tellement fier qu'après les jeux Olympiques il aurait détesté que je le voie apprendre à faire du chasse-neige.

Il partait le matin avec son groupe, juste après le petit déjeuner, et je ne le retrouvais que le soir. J'entendais le raffut des godasses de ski dévalant les marches du chalet, le moteur du car qui toussotait en s'éloignant, puis le silence tombait brusquement.

C'était le moment le plus difficile. Par la fenêtre de l'infirmerie, j'apercevais les sommets enneigés, les skieurs minuscules dévalant les pistes au milieu des sapins, et ça me donnait un gros cafard.

Par chance, j'avais emporté *Le Club des Cinq aux sports d'hiver*. Quand l'infirmier était passé, je remontais mon édredon jusqu'aux yeux et je passais la matinée à bouquiner au chaud. Mick, François, Annie et Claude, les héros de mon livre, faisaient des batailles de boules de neige endiablées et poursuivaient des méchants dans la tempête. C'était presque mieux de les imaginer que d'être dehors en vrai, avec le bonnet trempé et la neige qui vous rentre dans les chaussures.

L'après-midi, après la sieste, je quittais l'infirmerie en cachette et j'allais rôder dans le chalet désert.

Pas facile de se déplacer sans bruit en sautillant sur un pied. Mais avec un peu d'entraînement, je connaissais les lattes de parquet qui craquaient, les portes qui grinçaient. Les chaussettes de laine pourries des cousins Fougasse étouffaient mes pas, et j'avais l'impression d'être l'Homme invisible en mission ultrasecrète…

Bien sûr, on n'a rien dit à papa et maman pour mon accident. Ils se seraient inquiétés pour rien.
En tout cas, ils avaient raison pour les « veillées spirituelles ». Il n'y avait pas de télé dans la salle des fêtes du chalet. Seulement un drap tendu sur un mur et un gros appareil bruyant qui ressemblait à un projecteur de cinéma.
– Chouette, ils vont nous passer un western, a murmuré Jean-A. le premier soir, quand on s'est installés sur les chaises après le dîner. C'est trop bien, les Gars de la Cathé !
– Moi je parie que ce sera un film de vampires.
– Mieux encore : le dernier James Bond !
On aurait dû se méfier en voyant entrer l'aumônier de la colo.
Il nous a d'abord fait chanter deux ou trois chants religieux, histoire de mettre de l'ambiance. Mais quand il a éteint la lumière, le film n'a pas démarré. À la place, une image un peu floue est apparue sur l'écran.
Jean-A. m'a broyé le bras.
– Au secours, Jean-B., il a fait d'une voix blanche. J'ai eu la même pour ma communion !
On s'était bien fait avoir.

Ce n'était ni James Bond ni Dracula... Seulement des diapositives de catéchisme qui racontaient le miracle de sainte Blandine : l'histoire d'une martyre qu'on avait jetée dans la fosse aux lions. Mais ces derniers, au lieu de la dévorer, s'étaient couchés à ses pieds comme de vulgaires descentes de lit.

Quand l'aumônier a enfin éteint le projecteur, on aurait mille fois préféré qu'ils l'aient mangée pour de bon.

— Au lit, maintenant, a dit l'aumônier. Demain soir, la veillée spirituelle aura pour sujet le Bon Samaritain...

N'empêche, ça a été une super colo.

Le plus heureux, c'était Jean-A. Quand il est descendu du car, au retour, il portait un insigne épinglé bien en vue sur son anorak trop grand.

— C'est quoi, cette décoration ? a demandé Jean-C.

Jean-A. a levé les yeux au ciel.

— Mon flocon, qu'est-ce que tu crois !

— Et c'est quoi, un flocon ? a demandé Jean-D.

— Un peu comme une première médaille olympique, a expliqué papa en ébouriffant les cheveux de Jean-A. qui a rosi de fierté.

— Une médaille d'or ? a demandé Jean-E.

Jean-A. a eu un petit rire méprisant.

– Parce que tu crois que je vise le bronze ou l'argent, banane ?

– Et pourquoi il en a pas, Jean-B. ? s'est étonné Jean-C.

– Bah, j'ai dit. J'ai fait l'impasse. Ce sera le chamois ou rien.

– Et si tu nous montrais tes photos, Jean-A. ? a proposé papa quand on est rentrés à la maison. Comme tu n'as pas encore d'album, je les collerai dans le mien. Juste à côté du portrait de Jean-Claude Billy qu'a découpé ta mère dans le journal.

– Killy, a corrigé maman.

– Je plaisantais, chérie, a dit papa en se servant un doigt de whisky.

Pour fêter notre retour, maman avait voulu préparer une fondue, mais papa n'a pas trouvé que c'était une si bonne idée que ça, finalement.

À la place, on a fait un apéritif dînatoire. Les moyens ont commencé à se ballonner l'estomac avec des litres de boissons gazeuses, Jean-E. jonglait avec des cacahuètes en équilibre sur son nez, puis Jean-D. a renversé le verre de whisky de papa sur le tapis tout neuf et, forcément, ça a dégénéré...

Rien n'avait changé à la maison, mais c'était rudement bon d'être rentrés.

le toubib

Ce qui est bien, avec un père médecin, c'est qu'on
n'a jamais besoin d'aller chez le docteur. On en a
un à la maison.

Papa est très fort comme médecin. Un petit mal
de gorge ? Une rage de dents ? Envie de vomir ? Il
a toujours le sirop ou les médicaments qu'il faut.

– Tire la langue et fais « Aaah ! », dit papa en nous
braquant sa lampe de poche dans la bouche.

Le plus marrant c'est que, pendant qu'on fait
« Aaah ! », il fait « Aaah ! » lui aussi, comme pour
donner le ton. Mais vu qu'il nous appuie en même
temps sur la langue avec une petite palette en bois,
on n'a pas envie de rigoler du tout.

– C'est grave, papa ?

– Une simple angine, rien de plus.

– Je peux aller en classe, alors ? on demande, hyper-déçus, en se forçant à tousser comme des perdus.

– Bien sûr. Tu n'as pas récitation ce matin ?

– Si. Mais comme je suis très enroué…

– Rien de méchant, il dit en nous tapotant la joue. Une cuillerée à soupe de sirop, une bonne écharpe et tu seras d'attaque pour décrocher un 20 sur 20.

C'est le problème quand on a un père très fort comme médecin : impossible de faire semblant d'être malade pour manquer l'école. Il s'en aperçoit aussitôt et, au lieu de rester à se faire chouchouter à la maison, on passe pour un gros tire-au-flanc.

Un jour, Jean-C. avait laissé si longtemps le thermomètre sous l'eau chaude que papa n'en avait pas cru ses yeux quand il le lui avait rendu.

– Quarante-six de fièvre ? avait dit papa. Record du monde pulvérisé, mon garçon. Est-ce que tu ne serais pas en train de jouer les tire-au-flanc, par hasard ?

– Ça veut dire quoi, un tire-au-flanc ? a demandé Jean-C.

– Un tire-au-flanc, a expliqué maman qui ne rate jamais une occasion d'enrichir notre vocabulaire, c'est quelqu'un qui fait semblant d'être malade pour échapper à une corvée.

– Ou à un contrôle de grammaire, par exemple, a confirmé papa en ouvrant sa sacoche. Vu la gravité de ton état, mon pauvre Jean-C., je ne vois pas d'autre remède qu'une bonne grosse piqûre dans le derrière...

Jean-C., brusquement, est devenu aussi blanc qu'un cachet d'aspirine.

– Touche mon front! il s'est écrié. C'est incroyable, mais la fièvre est complètement tombée d'un coup!

– J'aime mieux ça, a dit papa. J'aurais détesté avoir un tire-au-flanc dans la famille.

C'est une de leurs grandes fiertés, à papa et maman : tous les six, malgré nos oreilles décollées et notre épi sur la tête, on a une santé d'acier.

– Oh! explique souvent maman en prenant l'air modeste. Il suffit d'un peu d'organisation et de beaucoup de légumes verts.

Nous, on déteste les légumes verts. On préférerait agoniser dans d'atroces souffrances plutôt que de manger des petits pois bouillis ou des choux de Bruxelles.

Le pire, c'est les épinards hachés. D'après maman, c'est riche en fer et ça aide à grandir. Mais même papa, qui est pourtant très fort comme médecin, fait une drôle de tête quand ils arrivent sur la table.

– Il ne reste plus de pommes de terre sautées d'hier soir ? il demande.

– Non, dit maman.

– Alors, sers copieusement les enfants, se sacrifie papa. Ils sont en pleine croissance et je leur laisse ma part d'épinards.

– Ne t'inquiète pas, le rassure maman en lui en servant une pleine platée. Il y en a bien assez pour tout le monde. Tu pourras même en reprendre, si tu veux.

– Tant pis, dit papa avec un soupir résigné. J'aurai tout essayé…

Comme maman a plein d'idées en plus d'être très organisée, elle a abonné toute la famille au journal de Popeye.

Popeye, c'est un marin qui a une ancre tatouée sur les avant-bras et une copine très maigre appelée Olive. Chaque fois qu'il est en danger, Popeye ouvre une boîte d'épinards qu'il se verse froids dans le gosier. Aussitôt, ses biscotos deviennent énormes, sa casquette saute en l'air comme un bouchon de champagne et il flanque une raclée mémorable à tous les méchants qui embêtaient Olive.

Ce n'était pas une si bonne idée que ça finalement, parce qu'on a tous adoré la bande dessinée mais on a continué à détester les épinards.

– Si z'en manze zuste une minuscule boucée, ze

deviendrai quand même aussi fort que Popeye ? demande à chaque fois Jean-E.

Maman reste intraitable.

– Tout le monde finit son assiette, elle décrète avec un regard appuyé vers papa. Sinon, pas de dessert. Me suis-je bien fait comprendre ?

Pas de chance pour papa. C'est dans ces moments-là qu'il regrette le plus d'être médecin, d'avoir six enfants en pleine croissance et des principes éducatifs.

Un jour, à Toulon, on est allés le voir à l'hôpital.

C'était la première fois qu'on y entrait et on était un peu intimidés. Il y avait d'immenses couloirs, des portes qui battaient, des brancards sur roulettes et des infirmières à bonnet blanc qui trottinaient dans tous les sens.

– Je compte sur vous pour faire bonne impression, a averti maman. Nous croiserons peut-être le médecin-chef de votre père. Soyez polis et ne vous faites pas remarquer, c'est bien compris ?

– Oui, maman, on a dit tous en chœur. Promis juré !

C'était compter sans Jean-A. On traversait les urgences quand il est tombé brusquement dans les pommes.

Il faut dire que ça sentait l'éther et que je n'étais

pas très bien moi non plus. En quelques secondes, ça a été l'affolement. Les infirmières s'empressaient autour de lui, il a fallu l'asseoir sur une chaise et le gifler copieusement pour qu'il retrouve des couleurs.

– Quel âge as-tu, mon garçon ? a demandé la responsable des urgences.

– Presque quatorze ans, a bredouillé Jean-A.

– Un peu d'hypoglycémie, rien de plus. Ça arrive quand on a l'estomac vide.

Maman n'a pas du tout apprécié cette remarque.

– Est-ce que vous insinuez que je ne nourris pas assez mes enfants ? elle a fait.

Pour une visite discrète, c'était vraiment réussi. Déjà qu'on ne passe pas inaperçus, à six...

– Est-ce que vous ne seriez pas les fameux frères Jean, les fils du toubib ? a demandé une infirmière à un moment.

Aussitôt, le personnel des urgences s'est agglutiné autour de nous. Tout le monde voulait nous offrir des bonbons à la menthe, des verres d'eau, et félicitait maman d'avoir une aussi belle famille.

– Oh ! elle a dit, ce n'est pas bien compliqué. Il suffit d'un peu d'organisation.

Quelqu'un a proposé de nous conduire jusqu'au service de papa mais maman n'a rien voulu savoir. On s'était fait suffisamment remarquer comme ça.

On a trouvé notre chemin tout seuls, et maman marchait si vite qu'il fallait presque courir pour ne pas la perdre.

– C'est quoi, maman, un toubib? a demandé Jean-D. en la tirant par la manche.

– Tu demanderas à ton père, elle a dit avant de se tourner vers nous. À partir de maintenant, le premier qui fait son intéressant n'aura plus le droit de jouer dans la colline jusqu'à sa majorité. Me suis-je bien fait comprendre?

Ça nous a fait un choc de découvrir papa dans son cabinet.

Il était assis derrière son bureau, et quand il s'est levé pour nous accueillir, il nous a paru soudain encore plus grand qu'à la maison.

C'était peut-être à cause de sa blouse blanche et du stéthoscope qui pendait à son cou... Quand il s'est penché pour nous embrasser, on s'est sentis tout drôles, bizarrement. Jean-D. a même failli le vouvoyer, comme si ce papa n'était pas celui que nous connaissions mais un autre papa, plus imposant et plus sévère.

Même maman semblait impressionnée, elle aussi.

– Eh bien, mes Jean, il a dit, vous en faites, une tête! Vous avez avalé votre langue?

Il a fait essayer à Jean-A. sa casquette d'officier

de marine, a assis Jean-F. sur le lit d'observation, a montré à Jean-C. comment fonctionne le brassard pour prendre la tension et a laissé Jean-E. gribouiller sur son bloc d'ordonnances.

– Dis, papa. C'est quoi, un toubib ? a demandé Jean-D. que ça semblait tracasser.

– Eh bien, a expliqué papa, c'est le nom qu'on donne dans notre jargon à un médecin militaire.

– Et les fils de médecin militaire, on les appelle comment ?

– Je ne sais pas, a dit papa. Des toubobs, peut-être.

– Alors je suis un toubob, a dit Jean-D. avec fierté.

Jean-F. voulait absolument tester les réflexes de tout le monde : il a commencé à nous cogner les genoux avec le petit marteau spécial de papa, alors celui-ci a trouvé préférable d'abréger la visite.

– Vous n'êtes pas morts de faim, mes toubobs ?

– Si ! on a tous crié.

– Parfait, a dit papa. Alors je vous emmène au Cercle Naval.

– Hourra ! on s'est exclamés en chœur.

Le Cercle Naval, c'est une sorte de grand restaurant réservé aux gens de la marine et à leur famille. On y mange toujours le même menu : du steak haché et des frites, une tranche de port-salut et de la compote en boîte. Ça nous changeait des épinards et des choux de Bruxelles de maman.

– Mais je vous avertis, a dit papa. Nous y croiserons peut-être mon médecin-chef. J'attends de vous un comportement irréprochable ! Est-ce bien compris ?

– Oui, papa, on s'est écriés. Promis juré !

À l'époque de cette histoire, je ne connaissais pas encore Hélène, la fille que j'ai rencontrée plus tard aux scouts marins. Je ne savais pas non plus que son père était le médecin-chef de papa.

Heureusement… Parce que quand on a croisé le médecin-chef de papa ce jour-là, au Cercle Naval, Jean-D. s'est planté devant lui au garde-à-vous.

– Bonjour, monsieur le toubib ! il a claironné en faisant un salut militaire impeccable.

Ça a beaucoup amusé le médecin-chef, mais beaucoup moins papa.

Même si c'était lui qui avait appris ce nouveau mot à Jean-D., papa n'a rien voulu savoir : il a privé Jean-D. de compote en boîte et on n'est plus retournés au Cercle Naval pendant au moins un mois.

le jour des vaccins

L'ennui, quand on a un père médecin, c'est qu'arrive chaque année le jour des vaccins.

C'est le dimanche, en général. Papa s'installe dans la salle à manger avec de l'alcool à 90°, un paquet de coton hydrophile, des seringues et plein de minuscules flacons qui font *cling cling cling!* dans sa sacoche quand il les rapporte de l'hôpital.

Le bruit le plus sinistre que j'aie jamais entendu…

– Moi, je veux pas qu'on me vaccine ! proteste Jean-D. qui est le douillet de la famille.

– Apprenez, les enfants, explique papa, qu'il vaut mieux une ridicule piqûre de rien du tout qu'une grave maladie infantile qui peut vous rendre... eh bien... euh...

– Je ne crois pas qu'il soit très utile d'entrer dans les détails, chéri, l'interrompt maman.

– Tu as raison, chérie. Mais il est de mon devoir de vous apprendre, les enfants, que le tétanos, par exemple...

– Chéri ! le gronde maman.

– Bref, conclut papa un peu vexé, vous n'y couperez pas. Point à la ligne.

– Oui, mais ça fait mal, les piqûres ! Surtout dans la fesse ! pleurniche Jean-D.

En fait, papa est très fort pour les vaccins. On connaît sa technique par cœur mais elle marche à tous les coups. Comme on est hyper-crispés de peur d'avoir mal, il commence par une petite pichenette à l'endroit où il va piquer. On se contracte une fraction de seconde et, au moment où on se relâche, *paf !* il plante l'aiguille et injecte le produit.

On n'a pas le temps de dire « Aïe ! » que c'est déjà fini.

Heureusement, ça n'arrive pas tous les ans. Tout dépend des dates de rappels inscrites sur nos carnets de vaccination. On espère toujours que ça va tomber sur un autre et qu'on y échappera pour cette fois.

Mais ce dimanche-là, à Toulon, on aurait dit

qu'une comète allait passer dans le ciel pour la première fois depuis un siècle.

– Je viens de vérifier vos carnets, a dit papa tout excité. Fait rarissime, vous avez un rappel tous les six ! La coqueluche pour Jean-A., la polio pour Jean-B., les oreillons pour Jean-C...

– Pourquoi moi ? a protesté Jean-C. Eux aussi, ils ont les oreilles décollées !

– Ça n'a rien à voir, banane, a ricané Jean-A.

Papa a continué d'énumérer le programme des réjouissances.

– En un mot, il a conclu, grande séance de vaccination collective chez les Jean ! Je veux voir tout le monde en petite tenue dans cinq minutes : slip, chaussettes et tricot de peau. Et que personne ne s'avise de jouer les tire-au-flanc, me suis-je bien fait comprendre ?

Pendant qu'on se déshabillait dans le couloir en râlant, on l'entendait qui chantonnait gaiement « pom ! pom ! pom ! » tout en préparant son matériel.

– Ça va être ta fête, a murmuré Jean-A. à Jean-C. J'ai vu la seringue pour les oreillons : on dirait la fusée d'*Objectif lune* !

– M'en fiche, a dit Jean-C. J'adore les Tintin.

– Il paraît qu'aux enfants de troupe, j'ai glissé à Jean-A., ils te vaccinent avec un fusil à fléchettes hypodermiques, comme les éléphants...

– Les Peaux-Rouges aussi, ils peuvent avoir la rouzole ? a demandé Jean-E.

– Et les Chinois, est-ce qu'il faut les vacciner contre la jaunisse ? a rigolé Jean-D.

On jouait les gros durs, mais quand la porte s'est ouverte brusquement et que papa est apparu, vêtu de sa blouse blanche de l'hôpital, on n'a plus rigolé du tout.

Même moi, qui ai pourtant développé une résistance inouïe à la douleur grâce à mon entraînement d'agent secret, je n'en menais pas large.

– Au premier de ces messieurs, a lancé papa d'une voix sinistre.

On a commencé par Jean-A., forcément, parce que c'est l'aîné.

– Alors ? j'ai demandé quand il est ressorti, les dents serrées.

– Rien senti, il a fait.

Puis ça a été mon tour.

– Alors ? m'a demandé Jean-A.

– Pfff ! j'ai fait en me tenant l'épaule. Rien senti non plus.

Jean-C., Jean-D. et Jean-E. y sont passés l'un après l'autre, et c'est alors qu'on s'est aperçus que Jean-F. avait profité d'une minute d'inattention pour s'échapper dans le jardin en slip, chaussettes et tricot de peau.

C'est le plus petit mais il court super vite. Il a fallu le poursuivre sur la pelouse et, quand on l'a enfin attrapé, hurlant et se débattant, pour le ramener dans la maison, papa a dit avec consternation :

– Catastrophe : je me suis trompé ! Pas de vaccin cette année pour Jean-F.

Il avait l'air tellement déçu qu'on se serait bien fait piquer une deuxième fois rien que pour le consoler.

Il s'est tourné vers maman avec une lueur d'espoir :

– Chérie, tu es sûre que tu n'as pas un petit rappel à faire pendant que j'y suis ?

– Certaine, chéri, a répondu maman.

– Dommage, a dit papa. Et notre voisine, Mme Schwartzenmuche ?

– Schwartzenbaum, a corrigé maman.

– Tu ne crois pas qu'elle aurait besoin...

– Elle se porte comme un charme, a assuré maman.

– Tant pis, alors, a dit papa.

Heureusement qu'il n'est pas vétérinaire, parce qu'il aurait bien attrapé Victor, le coq nain, ou Batman, le chinchilla, pour mettre leurs vaccinations à jour.

Ce dimanche-là, comme on avait tous été super-courageux, on a eu le droit de regarder le western de fin d'après-midi à la télévision en grignotant des biscuits d'apéritif.

Papa adore les westerns. Surtout les bagarres dans le saloon, quand ça canarde dans tous les sens et que les cow-boys se fracassent des bouteilles sur la tête.

Mais ce soir-là, ça ne le faisait même pas sourire. Il avait l'air abattu et mordillait sa pipe éteinte.

– Ça ne va pas, chéri ? a demandé maman.

– Un peu patraque, il a dit en toussotant. Rien de grave, j'espère.

– Tu n'as pas de fièvre, a dit maman en lui touchant le front.

– J'ai la gorge qui picote, pourtant. Pourvu que ce ne soit pas la coqueluche...

– Tu es vacciné, je te rappelle, l'a rassuré maman.

– C'est vrai, il a dit. Un début de grippe, alors ?

– Ou une pneumonie foudroyante, a suggéré maman.

– Je n'y avais pas pensé, a dit papa d'une voix alarmée. Tu crois que c'est si grave que ça, chérie ?

– Aucune idée. Est-ce que ce n'est pas toi le médecin de cette famille ?

– C'est vrai, a dit papa. Tu es vraiment sûre que je n'ai pas de fièvre ?

– Certaine, a confirmé maman.

– Je devrais prendre quelque chose, tout de même, a fait papa. Avant que ça ne dégénère…

– De l'aspirine ? Un doigt de whisky ?

– Un doigt de whisky, peut-être, a fait papa.

– Tiens, a dit maman en lui tendant son verre. Je suis sûre que c'est bon pour ce que tu as.

Maman est très forte comme médecin quand elle s'y met.

– Merci, chérie, a fait papa. J'en reprendrai peut-être un petit tout à l'heure, si je sens que ça fait de l'effet.

– Bonne idée, a dit maman. J'ai préparé un bon poulet rôti et des pommes de terre sautées pour ce soir. Mais dans ton état, bien sûr, il est préférable que tu te passes de dîner.

Papa s'est redressé dans son fauteuil.

– Tu crois ? J'ai l'impression au contraire que ça me ferait le plus grand bien d'avaler quelque chose.

– Comme tu voudras, a dit maman en étouffant un sourire. C'est toi le toubib, après tout.

On a tous été rassurés de voir que papa allait mieux. C'est impressionnant, une séance de vaccination collective ! On n'aurait pas voulu que ça l'ait rendu malade pour de bon.

le loup de mer

Comme c'est presque toujours papa qui prend les photos, on ne le voit pas beaucoup dans ses albums.

Bien sûr, il a son retardateur spécial pour les photos de groupe. L'an dernier, par exemple, on a fait la photo de Noël devant le sapin qui clignotait. Papa nous a disposés par ordre de taille, les petits devant, les moyens derrière, etc., et il a vérifié tellement de fois que tout le monde était bien dans le cadre qu'on avait les joues paralysées à force de garder le sourire.

À la fin, il a appuyé sur le déclencheur et a couru

se placer à côté de maman. Il n'avait que cinq secondes pour le faire, mais comme le flash n'a pas marché, il a fallu recommencer.

– Celle-là, c'est la bonne, il a dit en reprenant précipitamment sa place.

Si précipitamment que son pied s'est pris par malchance dans le fil de la guirlande électrique…

Sur la photo de ce Noël, on a tous les yeux fermés à cause du flash. Derrière nous, on n'aperçoit plus qu'un bout du sapin. Il a déjà basculé à quarante-cinq degrés, avant de s'écrouler par terre dans un fracas de boules brisées.

Quand tout le monde est revenu de sa surprise :

– Pour le prochain Noël, a dit maman très calmement, si je m'occupais moi-même de prendre la photo officielle ?

Papa contemplait le carnage d'un air hébété.

– Mais tu ne seras pas dessus !

– Au moins, le sapin y sera, lui, a fait remarquer maman.

En fait, papa n'aime pas beaucoup qu'on utilise son Kodak à sa place.

– On croit qu'il suffit de mitrailler dans tous les sens. Mais en réalité, l'art photographique est beaucoup plus compliqué qu'il n'y paraît, il répète souvent en tirant sur sa pipe. Pour simplifier : plus on ouvre le diaphragme, plus il faut augmenter la vitesse d'obturation. Tu vois ce que je veux dire, chérie ?

– Pas du tout.

– Je m'en doutais, soupire papa en tendant l'appareil à maman. Regarde simplement dans le viseur, alors, et appuie sur le bouton.

– Mais c'est tout noir...

Nouveau soupir de papa.

– Après avoir enlevé le cache, bien sûr.

– Je peux appuyer, maintenant ?

– Attends. Tu as réglé la netteté ? Non, ne touche pas cette molette, surtout. Tu n'es pas à contrejour, là ? Je me demande si un petit coup de flash... Tu permets une seconde ? Voilà, je pense que ce sera beaucoup mieux si tu cadres dans ce sens... Fais attention, chérie, ton doigt est devant l'objectif... Bon, tu ne veux vraiment pas que je la prenne à ta place ?

Maman a beau ne pas être aussi douée que papa pour la technique, elle a fait quelques-unes des plus belles photos de nos albums de famille.

Ma préférée, c'est celle de papa en loup de mer.

On le voit sur son nouveau voilier, les jambes fièrement écartées comme pour résister au roulis. Il tient la barre d'une main et l'autre lui sert de visière pour regarder au loin vers l'horizon.

Le bateau est encore à quai, coincé au milieu d'une centaine d'autres embarcations, mais on devine papa prêt à larguer les amarres et à affronter les éléments déchaînés.

– C'est quoi, « un vrai loup de mer »? a demandé Jean-D. en lisant par-dessus l'épaule de papa la petite légende qu'il était en train d'écrire.

– Eh bien, a commencé papa, un loup de mer, c'est un marin qui, après avoir sillonné les mers les plus périlleuses du globe…

– … boit beaucoup de whisky et dit des gros mots, comme le capitaine Haddock? l'a coupé Jean-C. qui est fan des aventures de Tintin et Milou.

Papa déteste être interrompu quand il se lance dans une leçon de vocabulaire.

– Pas exactement, il a dit. Un loup de mer, c'est…

– … une espèce de poisson, l'a coupé Jean-A. qui connaît par cœur *La Grande Encyclopédie des animaux*. On l'appelle aussi un « bar », et son nom latin…

– Un bar? l'a coupé Jean-C. J'avais raison, pour le whisky!

Papa s'est tourné vers maman en s'efforçant de garder son calme.

– Explique-leur, chérie, avant que je les expédie séance tenante aux enfants de troupe.

– Un loup de mer, a commencé maman, c'est une expression imagée qui désigne…

– … un marin plein d'expérience, l'a coupée papa. Un capitaine au long cours, par exemple. C'est ce que tu allais dire, chérie ?

– Tu m'as enlevé les mots de la bouche, chéri.

– T'es un loup de mer, alors, papa ? s'est émerveillé Jean-D.

Papa a eu un petit rire modeste avant de faire circuler l'album à la ronde.

– Regardez la photo qu'a prise votre maman : est-ce que je n'ai pas tout d'un vrai loup de mer ?

Papa est médecin dans la marine. Il a une casquette d'officier, un uniforme, des épaulettes à galons dorés, et il a toujours rêvé d'embarquer sur un navire. Mais comment naviguer pendant des mois quand on a six garçons qui vous attendent à la maison ?

Comme loup de mer, il avait juste fait du pédalo et du canoë gonflable avec nous quand on allait à la plage.

Aussi, on n'en a pas cru nos oreilles quand papa, l'été qui a suivi nos vacances à l'hôtel des Roches Rouges, nous a annoncé la grande nouvelle.

La veille, sans rien dire à personne, sauf à maman bien sûr, il avait acheté un bateau.

– Ouah ! on a tous crié. C'est pas une blague ?

– Parole de marin, a dit papa en levant la main droite et en faisant semblant de cracher un bout de chique sur la pelouse.

– Un vrai bateau ?

– Tout ce qu'il y a de plus vrai.

– Un bateau de guerre ? a demandé Jean-C.

– Non. De plaisance, a précisé papa.

– Un hors-bord ? j'ai demandé.

– Non. Un voilier. Un voilier flambant neuf que j'ai eu d'occasion pour une bouchée de pain !

– Disons plutôt : pour une grosse miche, a précisé maman.

– Pardon ? a fait papa.

– Je plaisante, a dit maman.

– Un trois-mâts ? a demandé Jean-A. qui connaît aussi par cœur *La Grande Encyclopédie de la marine à voiles*.

– Non. Un un-mât, a précisé papa. Et crois-moi, c'est bien suffisant tellement il est rapide ! S'il n'y avait pas trop de zef, je vous l'aurais fait essayer…

– Ça veut dire quoi, du zef ? a zozoté Jean-E.

– Du vent, dans notre jargon d'hommes de mer, a expliqué papa.

– Ce qui peut s'avérer utile sur un bateau à voile, a fait remarquer maman.

Ça a un peu vexé papa.

– Une tempête est vite arrivée, chérie, et je refuse d'exposer mes fils aux éléments déchaînés par pure imprudence.

Maman a regardé les feuillages qui bougeaient à peine au-dessus du toit de la villa.

– C'est toi le loup de mer, après tout, elle a dit.

Finalement, on est partis au port en début d'après-midi.

– Je n'emmène que les grands pour cette première sortie, a annoncé papa. Demain, c'est promis, deuxième fournée : ce sera le tour des moyens et des petits.

Les autres étaient super-déçus.

– Pourquoi c'est toujours les grands et jamais nous ? ont râlé Jean-C. et Jean-D.

– Ze resterai sazement avec Zean-F. dans le canot de sauvetaze ! a promis Jean-E.

Mais papa est resté inflexible. Surtout lorsque Jean-F. s'est mis à chanter à tue-tête le générique de *Flipper le dauphin*.

– Je me sacrifie, j'ai dit. Comme j'ai le cœur sur la main, je laisse ma place à un moyen.

– Pas question, a dit papa. J'aurai besoin de matelots expérimentés.

En fait, j'aurais mille fois préféré aller jouer dans la colline avec mon copain Grandrégis ou me battre à coups de lance-pierres avec la bande des Castors. Je déteste la voile presque autant que les épinards. Mais papa était tellement content de nous faire découvrir son bateau que je n'ai pas voulu insister.

– Alors, il a dit quand on est arrivés sur le quai. Plutôt racé, non, pour un bateau de plaisance ?

– Ouah ! on a fait, Jean-A. et moi.

Le bateau de papa n'était pas tout à fait comme on l'avait imaginé. Il ressemblait plus à une baignoire qu'à un voilier de course. À l'avant, il y avait une minuscule cabine dans laquelle on a eu du mal à entasser tout ce qu'on avait emporté.

Il faut dire que papa avait pensé à tout. Il y avait une paire de rames, un safran de rechange, un bidon de gasoil, des fusées de détresse, des jumelles, de la crème solaire et des rations de corned-beef, au cas où on ferait naufrage sur une île déserte.

– Apprenez, les enfants, a dit papa en larguant les amarres, que la prévoyance est la première qualité du vrai marin. La seconde, c'est l'audace. Et maintenant, cap vers les contrées lointaines !

On est sortis du port au moteur, si lentement que Jean-A. a eu le temps de vomir deux fois son déjeuner à cause des odeurs de gasoil.

Il faisait grand soleil et on cuisait sous nos gilets

de sauvetage. Papa, concentré sur la manœuvre, tirait tellement fort sur sa pipe qu'on se serait crus à bord d'un navire à vapeur.

On a attendu d'être sortis de la rade pour couper le moteur, puis papa a ordonné de hisser la voile.

Les choses sérieuses allaient commencer.

– À partir de maintenant, a prévenu papa, il n'y a plus qu'un seul maître à bord après Dieu : moi. Parés pour la manœuvre, moussaillons ?

– Parés, on a dit.

En fait, il ne s'est rien passé pendant un bon moment. La voile faisait *flap flap flap!* le long du mât, le voilier montait et descendait mollement sans avancer d'un pouce. Alors, forcément, Jean-A. a remis ça.

Papa a commencé à trouver la plaisanterie moins drôle.

– Tu parles d'un marin d'eau douce! Il faudra vous endurcir, mes gaillards, si vous ne voulez pas que je vous expédie aux scouts marins.

– C'est pas ma faute, a gémi Jean-A. Je suis malade... J'ai dû attraper le scorbut.

– Le scorbut? a rigolé papa.

– C'est la faute du zef, j'ai dit. Y en a pas du tout. On fait du surplace.

– Du surplace? a répété papa en levant les yeux au ciel. En termes de marine, Jean-B., nous sommes

« encalminés », plutôt, ce qui a tout de même une autre allure.

Au même moment, la voile s'est gonflée brusquement.

– Un coup de tabac ! a crié papa. Accrochez-vous, les gars, ça va sacrément chahuter !

On a été propulsés sur trois cents mètres au moins. Puis la voile est retombée à nouveau et il a fallu attendre une autre risée. Entre-temps, les vagues que faisaient les gros hors-bord qui passaient au large nous avaient ramenés en arrière, mais papa n'a pas semblé s'en apercevoir.

– Regagnons la terre ferme, il a dit finalement. Un nouveau grain risquerait de nous drosser sur les récifs.

– Où tu vois des récifs ? j'ai demandé en scrutant la plage pleine de parasols et de baigneurs.

– Fie-toi à mon expérience, mon garçon, a expliqué papa. Pour un vrai marin, les récifs les plus dangereux sont ceux qu'on ne voit pas.

On a redescendu la voile qui pendouillait sur le mât et papa a rallumé le moteur. Mais, de retour au port, il a fallu chercher un moment pour retrouver l'anneau où s'amarrer.

– Pas trop épuisés par notre régate, mes grands ? a demandé papa quand on a pu enfin sauter sur le quai.

– Non non, on a dit.

On avait juste envie de se débarrasser de nos gilets qui puaient le gasoil et de rentrer à la maison. Mais il a fallu d'abord laver le pont à l'eau claire, vider la cabine et faire des allers-retours jusqu'à la 2 CV pour rapporter le matériel de secours.

Quand on est enfin rentrés à la villa, le soleil était presque couché.

– Alors, ce premier tour en mer ? a demandé maman. Je commençais à être inquiète.

– Oh! un peu sportif mais vivifiant, l'a rassurée papa.

– Y avait du zef? a demandé Jean-D.

– Quelques puissantes bourrasques, a dit papa. Mais de la gnognote pour des navigateurs chevronnés comme nous.

– Pourquoi Jean-A. est tout pâle, alors? a demandé Jean-C.

– Il a eu le scorbut, j'ai expliqué.

– C'est quoi, le scorbut? a fait Jean-C.

– Eh bien, a commencé maman, c'est une maladie contractée autrefois par les marins lors des longues traversées parce qu'ils manquaient de légumes verts.

– Nous aussi, on veut avoir le scorbut! ont crié Jean-C., Jean-D. et Jean-E. qui détestent les légumes verts.

Ce soir-là, après le dîner, on a eu le droit de veiller un moment pour fêter le nouveau bateau de papa.

Il a mis le 33 tours de *L'Île au trésor* sur l'électrophone du salon et on s'est assis en rond sur le tapis. Mais comme Jean-F. n'arrêtait pas de répéter à tue-tête : « Gare à ta peau, Chien Noir ! », il a fallu l'envoyer au lit avant la fin du disque.

On a écouté l'histoire jusqu'au bout et on allait se coucher tous les cinq quand je me suis exclamé :

– Mais au fait, papa, il n'a pas de nom, ton bateau !

– C'est vrai, ça, a réalisé papa en se frottant le menton. Des idées, mes Jean ?

– On pourrait l'appeler le *Walrus*, comme celui du capitaine Flint dans *L'Île au trésor*, j'ai proposé.

– Pas de drapeau noir sur mon voilier, a refusé catégoriquement papa.

– Ou le *Karaboudjan*, comme celui du capitaine Haddock, a suggéré Jean-C.

– C'est un cargo, banane, pas un voilier ! a ricané Jean-A.

On avait beau se creuser la cervelle, on était à court d'inspiration.

– Une idée, chérie ? a demandé papa.

– À part la *Bouchée de Pain*, non, je ne vois pas, a dit maman malicieusement.

– Très drôle, chérie, s'est vexé papa.

– Je plaisantais, a dit maman.

C'est là que j'ai eu un éclair de génie.

– Et pourquoi pas le *Loup de Mer* ?

Papa a hoché lentement la tête.

– Pas mal, il a dit. Ça me plaît. Qu'est-ce que vous en pensez, vous autres ?

– Je vote pour à l'unanimité ! a dit Jean-C.

En fait, on était tous d'accord. Même Jean-A. qui déteste quand j'ai des éclairs de génie avant lui.

– Adopté, alors, a dit papa. Longue vie au *Loup de Mer* !

– Et si on le baptisait ? a suggéré Jean-A. Avec une bouteille de champagne, comme le *Titanic* ?

– Je ne suis pas sûr que ça lui porte chance, a remarqué papa.

– Et puis, a ajouté maman, vous êtes un peu jeunes pour vous ballonner l'estomac avec des boissons gazeuses alcoolisées.

– Le champagne, c'est pas pour boire, a expliqué Jean-A. en mimant la mise à l'eau du *Titanic*. On accroche la bouteille à une ficelle, on la lance sur la coque et *paf !* baptisé !

– Eh bien, on verra, a dit papa qui ne semblait pas très pressé d'abîmer la coque de son voilier avec des magnums de champagne.

Il avait pris maman par la taille et, comme on montait se coucher, on l'a entendu qui murmurait :

– Quelle belle famille de marins, quand même !

– Ils ont de qui tenir, a dit maman.

– Tu as raison, chérie, a fait fièrement papa. Tous les enfants n'ont pas la chance d'avoir un loup de mer comme ascendant direct.

– C'est quoi, un ascendant direct ? a demandé Jean-C. qui a toujours une oreille qui traîne.

– Dans ta cabine, moussaillon, a ordonné papa. Et que je ne voie personne sur le pont avant la première heure ou vous aurez affaire à moi.

la famille s'agrandit

Grands, moyens ou petits, dans la famille des Jean, on adore tous les animaux.

Sauf papa et maman.

La fois où maman a découvert l'élevage d'escargots que Jean-C. cachait sur le rebord de sa fenêtre, à Cherbourg, ça a sacrément bardé pour son matricule.

– Prends cette boîte à chaussures et descends immédiatement au square remettre tes protégés en liberté, elle a ordonné.

Pour une fois, on a tous défendu Jean-C.

– Pourquoi on serait les seuls enfants sur cette planète à ne pas avoir d'animal de compagnie ?

Papa et maman sont restés intraitables.

– Cet appartement est tout juste assez grand pour nous huit. Pas question de le transformer en ménagerie.

– C'est pas des lions ou des gorilles, a protesté Jean-C. Ça prend pas de place, des escargots !

– Les gastéropodes ne sont pas exactement des animaux de compagnie, a dit papa. Et puis les bêtes sont faites pour vivre au grand air, pas au onzième étage d'un immeuble dont l'ascenseur tombe en panne une semaine sur deux.

– Pas les cafards, a précisé Jean-D. Eux, ils adorent vivre sous la baignoire.

– Quoi ? s'est écrié papa d'une voix horrifiée. Que celui qui élève une colonie de cafards dans notre salle de bains se dénonce immédiatement !

– Ce n'était qu'un exemple, chéri, l'a rassuré maman avant de se tourner vers nous. Ce que votre père veut dire, c'est qu'avoir des animaux dans un appartement, c'est un peu comme les condamner à passer toute leur vie en prison.

– Et si un jour on a un jardin, j'ai essayé, on aura le droit d'avoir des animaux ?

– On verra, a éludé maman.

– On ne verra rien du tout, chérie, s'est emporté papa. J'ai bien assez de six garçons et d'une belle-mère envahissante comme créatures de compagnie.

– J'espère que tu ne compares pas ma mère aux

gastéropodes de Jean-C., a remarqué maman en levant un sourcil.

– C'est quoi, un gastéropode ? a demandé Jean-D.

– Là n'est pas la question, a tranché papa, bien content d'éviter le sujet de mamie Jeannette. Tant que je serai le chef de cette famille, aucun animal ne franchira le seuil de notre maison. Me suis-je bien fait comprendre ?

Ça, c'était juste avant qu'on emménage dans la villa de Toulon.

Elle était très grande, avec un jardin clos et, sur l'arrière, une immense colline plantée d'amandiers à laquelle on accédait par un trou dans le grillage.

Mais papa était catégorique : jardin ou non, pas d'animaux à la maison. Il ne reviendrait pas sur sa décision.

Jusqu'à ce que Jean-F. trouve une tortue dans le jardin… Elle vivait là depuis si longtemps qu'on a bien été obligés de la garder.

– Mais je vous préviens, a maugréé papa, ce sera la seule et unique exception.

Sa tortue, Jean-F. l'a appelée Meftou, le seul mot qu'il savait dire qui ne soit pas un vrai gros mot.

Les autres uniques exceptions, ça a été Wellington et Zakouski, les poissons rouges offerts par papy Jean. Puis il y a eu Batman, le chinchilla de Jean-C., et puis Victor, un coq nain si colérique qu'aucun voleur ne se serait risqué à entrer dans le jardin de peur de se faire déchiqueter les chaussettes par son bec acéré.

Je ne parle pas, bien sûr, de la merlette blessée qu'avait recueillie Jean-A. Elle n'est restée qu'un mois, le temps que son aile guérisse et que Jean-A. la libère.

Elle faisait tellement de saletés sur la terrasse que papa n'a rien dit quand Jean-D. a mis un cochon d'Inde à sa place dans la cage restée vide.

Avec son cochon d'Inde et la tortue de Jean-F., il a bientôt été impossible de trouver une seule feuille de laitue dans toute la maison.

– Mais je te préviens, Jean-D., a averti papa, ce sera la seule et unique exception.

Sauf qu'un jour, alors que je jouais dans la colline à tirer des pénos avec mon copain Grandrégis, je suis tombé sur un chaton abandonné.

Il était tout tigré et quand il ouvrait la bouche pour miauler, aucun son n'en sortait.

– Ramène-le où tu l'as trouvé, a exigé papa. Tu connais la règle : pas d'animaux à la maison.

Mais quand Diabolo s'est mis à ronronner dans sa main, il n'a pas trouvé le courage de le chasser dans la colline.

– Adopté, il a dit de mauvaise grâce. Mais ce sera

la seule et unique exception, Jean-B. Me suis-je bien fait comprendre ?

Je ne sais pas si Diabolo, en grandissant, serait devenu copain avec Batman. S'il n'aurait fait qu'une bouchée de Wellington et Zakouski. Ni s'il aurait grimpé dans les arbres à fond de train pour échapper à cette teigne de Victor…

Il est mort très vite, d'une vilaine maladie de chat, et il a laissé un grand vide dans mon cœur comme dans la maison.

Je me rappellerai toujours cet après-midi, quelques mois plus tard, où papa et maman sont rentrés des courses. Ils ont garé directement la voiture dans le garage et nous ont convoqués au salon.

– De quoi on nous accuse, cette fois ? s'est énervé Jean-A.

– Aucune idée. Tu n'as pas refait le coup de la photo mystère, j'espère ?

– Tu me prends pour une banane ? il a dit. Tu crois que j'ai encore l'âge de photographier mes fesses ?

– Asseyez-vous sur le tapis, les enfants, a dit papa d'un air grave. Votre maman et moi, nous avons quelque chose d'important à vous annoncer.

On s'est tous tournés vers maman. Elle aussi était grave, mais on aurait dit que ses yeux pétillaient en même temps.

Papa s'est raclé la gorge.

– Je te laisse la parole, chérie.

– Non non, a dit maman. C'est toi le chef de famille, après tout.

– Eh bien, voilà, a commencé papa en se penchant vers nous. Ce que nous voulons vous dire, votre maman et moi, c'est que notre famille s'agrandit.

Un silence consterné est tombé sur le salon. Même Wellington et Zakouski, dans leur aquarium, ont cessé de faire des bulles, et Batman a filé se planquer sous le canapé.

Le premier à ouvrir la bouche a été Jean-C.

– Tu veux dire…, il a commencé.

– … que maman…, a poursuivi Jean-D.

– … va avoir un autre Zean ? a zozoté Jean-E.

– … ou pire encore : une fille ? a terminé Jean-A. d'une voix horrifiée.

Imaginez que vous appreniez par les informations qu'une météorite géante fonce vers la Terre à la vitesse de la lumière pour la détruire entièrement. L'annonce de papa n'aurait pas pu produire plus d'effet.

– Un autre Zan ? a répété papa sans comprendre. Une fille ?

Maman a éclaté de rire.

– Mais non, les enfants. Ce n'est pas ce que vous croyez.

On a tous poussé un soupir de soulagement.

– C'est vrai, tu n'attends pas un septième enfant ? j'ai demandé quand même, pour être tout à fait sûr.

– Les six garçons que nous avons déjà me comblent amplement, nous a rassurés maman.

Aussitôt, les oreilles de Batman ont pointé de sous le canapé, et Wellington et Zakouski ont recommencé à tourner l'un derrière l'autre dans leur bocal.

– Ce malentendu éclairci, a repris papa avec impatience, revenons-en au sujet du jour. Vous le savez, votre maman et moi avons des principes éducatifs sur lesquels nous ne voulons pas transiger. Mais nous avons pensé que, pour une fois, nous pourrions faire une petite exception.

– On pourra regarder nos émissions de variétés débiles à la télé ? n'a pu s'empêcher de suggérer Jean-A.

Papa s'est tourné vers maman avec un soupir exaspéré.

– Sais-tu s'il y a la télévision à l'École des enfants de troupe, chérie ?

Comme il n'était pas loin de perdre son calme légendaire, maman a pris le relais.

– Tout le monde a été très peiné par la mort de Diabolo, elle a expliqué. Alors votre papa et moi avons pensé que vous étiez peut-être assez grands et assez responsables désormais pour que nous prenions à la maison un animal de compagnie.

Un nouveau silence stupéfait est tombé sur le salon.

Imaginez que vous appreniez par les informations qu'une invention secrète a pulvérisé la boule de feu qui fonçait vers la Terre à l'instant même où elle entrait dans l'atmosphère. L'annonce de maman n'aurait pas pu produire plus d'effet.

– À titre de seule et unique exception ! a précisé papa.

On était tellement suspendus aux lèvres de maman qu'on ne l'a pas vu quitter discrètement le salon pour descendre au garage.

– Nous nous sommes rappelé ce petit chien que les grands avaient fait monter en cachette dans notre appartement de Cherbourg, elle a expliqué.

– Celui que j'avais appelé Dagobert ? j'ai dit avec un pincement au cœur.

– Et moi, Grognard ? a fait Jean-A.

– Impossible de le garder, à l'époque, a poursuivi maman. Mais nous avons un jardin, aujourd'hui, de l'espace... Aussi, cet après-midi, votre père et moi, nous nous sommes arrêtés au refuge de la SPA...

– ... où nous sommes tombés l'un et l'autre amoureux de ce lascar, a terminé papa dans notre dos.

Il était remonté du garage sans que personne l'entende.

À la main, il tenait une laisse, et au bout de cette laisse frétillait un jeune chien aux poils couleur caramel.

– Je vous présente Dick, a dit fièrement papa. C'est un bâtard de pure race, sage comme une image et qui a tous ses vaccins à jour.

C'est comme ça que Dick est entré dans la famille.

À la façon dont il nous a fait la fête, ce samedi-là, on aurait dit qu'il nous connaissait depuis toujours. Tout le monde lui tournait autour, voulait le caresser et l'attrapait par la queue pour attirer son attention. Il se laissait faire, jappant et distribuant des coups de langue à qui mieux mieux.

Quand il a envoyé rouler Batman d'un coup de museau affectueux jusque sous la table d'apéritif, on a compris qu'il nous avait tous adoptés.

J'avais rarement vu un chien aussi beau.

Il était roux, avec les poils mi-longs d'un setter irlandais, une tête intelligente et pointue qui aurait pu être celle de Sherlock Holmes si Sherlock Holmes avait été un setter.

– Précisons tout de suite quelques points de règlement, a prévenu papa en ramenant le calme. Ce chien dormira dehors, et pas dans vos chambres.

– Même quand il fait très froid ? a demandé Jean-D.

– Qu'il neige, qu'il vente ou qu'il gèle à pierre fendre, a confirmé papa.

– Ce qui a peu de chance de se produire à Toulon, nous a rassurés maman.

– Règle n° 2 : ce chien ne s'appellera ni Dagobert ni Grognard, a poursuivi papa.

– Même pas Milou ? a demandé Jean-C.

– Ou Rintintin ? a fait Jean-F. en commençant à chanter à tue-tête le générique de la série télévisée.

– Il s'appelle Dick, a dit papa. C'est comme ça qu'on l'a baptisé au refuge, et changer le nom d'un chien aussi jeune pourrait perturber gravement son équilibre affectif. Règle n° 3 : interdiction absolue de l'emmener jouer dans la colline.

– Même pour le lâcher sur les Castors ? a demandé Jean-A. qui n'avait toujours pas digéré de s'être fait bombarder de figues trop mûres par la bande de Grandrégis.

– Après avoir été abandonné, a expliqué papa, Dick a besoin d'un environnement clos et sécurisant. Alors pas de sortie hors du jardin pour l'instant. Règle n° 4 : je compte sur vous tous pour vous assurer qu'il ne fasse pas de dégâts. Pas question de trouver sur ma pelouse une de ses… euh… eh bien…

– Une de ses crottes ? a proposé Jean-D.

– C'est le mot que je cherchais, a toussoté papa. Enfin, règle n° 5 : interdiction de nourrir ce chien à table et de lui donner en cachette la moindre confiserie. Ai-je été tout à fait clair ?

– Reçu six sur six ! on a tous crié en chœur en levant la main droite.

– De solides principes éducatifs, rien de tel pour un animal, a conclu papa. N'est-ce pas, mon chien ?

Dick, assis sur son arrière-train, semblait boire ses paroles. Il dressait les oreilles l'une après l'autre et penchait la tête comme s'il comprenait tout ce qu'on disait.

Alors, pour le féliciter, papa lui a posé un sucre en équilibre sur la truffe. Dick l'a fait sauter en l'air et l'a gobé délicatement.

– Je crois que tu viens de contrevenir à la règle n° 5, chéri, a remarqué maman.

– Tu crois, chérie ? a fait papa avec un sourire gêné.

De nous tous, c'était lui qui semblait le plus heureux d'avoir un animal à la maison.

Comme on n'avait pas encore de niche, Dick a dormi dans le garage le premier soir.

– Qu'est-ce qu'il fait là ? s'est étonné Jean-A. en le découvrant au matin couché sur une vieille couverture devant la porte de papa et maman. Je croyais que c'était interdit.

– Votre père n'a pas eu le cœur de le laisser pleurnicher toute la nuit, a expliqué maman. N'est-ce pas, chéri ?

– Euh… par mesure exceptionnelle, a dit papa avec un petit rire embarrassé.

On l'a découvert très vite, Dick était un sacré roublard.

Il n'avait pas son pareil pour prendre l'air perdu, réclamer des caresses et de l'affection. Papa s'y laissait prendre à tous les coups. Mais dès qu'il avait le dos tourné, Dick n'en faisait qu'à sa tête : il donnait la chasse à Victor, passait en douce dans le jardin de Mme Schwartzenbaum, notre voisine, et s'amusait à décrocher les slips et les soutiens-gorge qui séchaient sur sa corde à linge.

Heureusement que Mme Schwartzenbaum est sourde comme un pot et qu'il y avait toujours l'un de nous six pour rattraper en cachette ses bêtises !

Dick avait surtout un flair incroyable. C'est le seul chien que je connaisse dont l'activité préférée était de jouer à cache-tampon.

Il suffisait de lui montrer la porte et il filait aussitôt se coucher sous la table de la cuisine. On en profitait pour cacher sa balle en caoutchouc sous un tapis, dans un tiroir ou sur un lit du haut, puis on l'appelait :

– Cherche, Dick. Cherche !

Il arrivait quatre à quatre, la truffe au ras du carrelage, et il ne lui fallait pas plus de trente secondes à ma montre-chronomètre avant de retrouver sa balle. Il nous la posait toute mâchonnée et toute baveuse sur les genoux, et il fallait recommencer.

Le soir, il attendait papa, sagement assis sur le seuil, la queue battant la mesure sur le paillasson, lui obéissant au doigt et à l'œil comme un animal de compagnie modèle.

La première fois qu'il a disparu de la maison, on a cru qu'il s'était caché à nouveau pour jouer. Mais on a eu beau fouiller partout, pas de Dick dans la villa ni dans le jardin.

– Quelqu'un a dû laisser le portail ouvert, a dit maman. Je crains que Dick n'ait fait une fugue.

– Une fugue ? a protesté papa. Tu n'y penses pas, chérie. Il n'a connu que le refuge. Imagine comme le monde doit paraître vaste et inquiétant à un jeune chien sans expérience !

Dick est revenu deux heures plus tard, comme si de rien n'était, le poil dégoulinant, et il a fallu le rincer au tuyau d'arrosage tellement il sentait le poisson.

C'est là qu'on a compris qu'il adorait la mer.

– Qu'à cela ne tienne, a dit papa.

Le dimanche suivant, on l'a emmené à la plage.

Papa avait passé sa laisse dans le piquet du parasol, pour qu'il se tienne tranquille, mais quand on est sortis de l'eau, Dick, je ne sais comment, avait réussi à s'échapper.

On l'a retrouvé à l'autre bout de la plage, tout trempé, en train de s'ébrouer sur les serviettes d'une autre famille et de renverser leur panier de pique-nique.

– Ce pauvre chien n'a aucune notion de la conduite à tenir en société, l'a encore défendu papa. À nous de lui inculquer les bonnes manières.

Mais allez inculquer quelque chose à un malappris comme Dick…

Un jour, on est partis avec lui en ville, Jean-A. et moi. On avait pris nos vélos et Dick tirait tellement sur sa laisse que je n'avais même pas besoin de pédaler : je filais comme sur un traîneau.

La fête des Mères approchait. On a attaché nos bécanes avec un antivol et on a commencé à faire les vitrines des Dames de France à la recherche d'un cadeau pour maman.

– Qu'est-ce que tu dirais d'un sac en croco ? a proposé Jean-A.

J'ai recompté mon argent de poche.

– Un sac en peau de banane, plutôt, j'ai grimacé. T'as vu les prix ?

On avait très envie de gâter maman, mais tout

était tellement cher que, même pour un seul gant ou une seule boucle d'oreille, on n'avait pas assez.

– Flûte de zut! a juré Jean-A. On va tout juste pouvoir lui offrir une minable corbeille à pain.

Il y avait une vente d'objets en osier devant le magasin. Sauf que Dick, qu'on avait presque oublié, avait levé la patte et était en train d'arroser un à un tous les articles de l'étalage.

– C'est pour marquer son territoire, a tenté d'expliquer Jean-A.

On a dû déguerpir en courant, poursuivis par le vendeur, et on n'a plus jamais remis les pieds aux Dames de France.

Là où on a bien rigolé, par contre, c'est quand on est allés rendre visite aux cousins Fougasse.

Ils étaient de passage pour le week-end dans leur villa secondaire de luxe, du côté de Saint-Tropez. Il y avait des buissons de lauriers-roses, un barbecue en maçonnerie de la taille d'une église romane et une piscine à l'eau si bleue que la regarder seulement vous faisait grincer les dents.

Maman était un peu impressionnée, et papa, avant de serrer le frein à main, nous a fait toutes sortes de recommandations.

– Les cousins Fougasse sont des gens très comme

il faut et un peu à cheval sur les principes. Ils ont l'extrême gentillesse de nous inviter à partager une collation dominicale. Aussi, messieurs, j'attends de vous un comportement irréprochable. Me suis-je bien fait comprendre ?

Pour leur faire honneur, maman nous avait obligés à mettre les shorts pourris que les cousins Fougasse nous avaient refilés au début de l'été. En remerciement, on avait apporté une boîte de pâtes de fruits, et c'est Jean-A. qui avait été désigné pour les offrir en notre nom à nos chers bienfaiteurs.

On faisait une telle tête, à l'arrière de la voiture, que papa s'est cru obligé de nous rappeler l'existence d'une excellente école pour les enfants de troupe…

– En piste, maintenant, il a dit. Et avec le sourire.

Tante Fougasse s'était avancée pour nous accueillir. Elle poussait de petits « Hou ! Hou ! » et agitait ses bracelets, une binette à la main.

À peine avait-on ouvert la porte de la voiture que Dick s'est échappé. Il a commencé à courir comme un fou dans le jardin, dévastant les massifs d'œillets que tante Fougasse venait juste de planter.

Puis, les pattes pleines de terre, il a escaladé les marches conduisant à la terrasse. Le temps que je grimpe derrière lui (j'ai les meilleurs réflexes de toute la famille), il avait déjà raflé un collier de merguez sur le barbecue et s'était enfui avec dans la villa secondaire de luxe des Fougasse.

Papa était décomposé.

– Soyez sans crainte, tante Fougasse, il a expliqué sur le ton de la plaisanterie. C'est un jeune chien un peu mal dégrossi mais très obéissant, vous verrez...

Au même instant, on a entendu un grand plouf !

Dick, qui adore l'eau, venait de se jeter dans la piscine... En plein sur la bedaine d'oncle Fougasse qui faisait la planche au soleil.

Ce soir-là, on est rentrés à la maison dans un silence de mort.

Voir Dick barboter au milieu des cousins Fougasse et crever avec ses dents leur matelas pneumatique avait amusé papa et maman beaucoup moins que nous.

Couché dans le coffre, encore trempé de ses exploits, il a dû sentir lui aussi que ce n'était pas le moment de la ramener. Il dormait, le ventre plein, après avoir dévoré la boîte de pâtes de fruits qu'on avait oublié d'offrir aux cousins Fougasse.

Quand on est enfin arrivés à la maison :

– La prochaine fois que nous souhaitons agrandir la famille, chérie, a dit papa sans desserrer les dents, rappelle-moi de prendre une plante en pot plutôt qu'un chien, tu veux bien ?

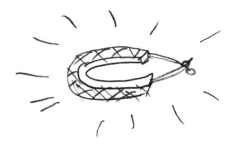

le bracelet scoubidou

Chaque année, quand arrivent les grandes vacances, c'est toujours la même question.

– Que va-t-on faire des enfants cet été, chéri ? s'inquiète maman.

Ce mois de juin n'a pas manqué à la règle.

– Il y a d'excellentes colos réservées aux enfants de troupe, a suggéré papa. On pourrait y envoyer les garçons.

La réaction a été unanime.

– Ah non ! Plutôt crev…

– Pardon ? a fait papa en levant un sourcil.

– Euh… ça ne nous tente pas tellement, on s'est rattrapés tous en chœur.

– J'aime mieux ça, a dit papa.

– Même si elle ne travaille pas, maman aussi a droit à des vacances, a expliqué Jean-A.

– Justement, a dit papa. Ça lui ferait le plus grand bien que vous débarrassiez le plan…

– Chéri ! a fait maman.

– Euh… que vous vous adonniez à des activités estivales hors de la maison, s'est rattrapé papa.

– Ça veut dire quoi, estivales ? a demandé Jean-D.

– Estivales, a commencé maman, est un adjectif qui signifie…

– Là n'est pas la question, l'a interrompue papa qui commençait à perdre son calme légendaire. Tiens, et si nous envoyions Jean-B. faire un séjour linguistique en Angleterre ?

J'ai failli lui sauter au cou.

– Archi d'accord, *dad* !

– Je ne crois pas que ce soit une excellente idée, chéri, a rappelé maman. L'expérience de Jean-A. n'a pas été une totale réussite.

Jean-A. a pris son air éberlué.

– Comment ça, pas une réussite ? Depuis, je connais par cœur tous les tubes en anglais de Michelangelo and The Monkeys !

– Justement, a dit papa. Apprendre à produire des ultrasons sur une guitare électrique n'est pas exactement l'objectif d'un séjour linguistique.

L'été d'avant, Jean-A. était allé en Angleterre et en avait profité pour entrer à fond dans l'âge bête. Il était revenu avec des pantalons à pattes d'éléphant, une veste à franges et les cheveux tellement longs qu'on ne voyait même plus ses lunettes.

J'ai essayé comme j'ai pu de fléchir papa.

– *Please, daddy* ! Je réviserai mes verbes irréguliers douze heures par jour, et je ne tomberai jamais amoureux de la fille de ma famille d'accueil comme Jean-A., je le promets.

– Quoi ? a fait ce dernier en devenant écarlate. Répète un peu pour voir !

– Parce que t'étais pas raide *in love* de Victoria Smith, peut-être ? j'ai ricané.

– En tout cas, c'est pas moi qui porte un bracelet scoubidou au poignet, a ricané Jean-A. à son tour.

– Quoi ? j'ai dit en rougissant jusqu'aux oreilles. Répète un peu pour voir !

– Un bracelet scoubidou ? s'est étonnée maman.

J'ai enfoncé mes mains dans mes poches, mais avec nos chemisettes sans manches de La Famille Moderne, impossible de le cacher.

– C'est… euh… un… un emblème de scout marin, j'ai bredouillé. On a tous le nôtre, dans la meute.

– Un bracelet scoubidou ? a répété papa d'un air songeur. Chez les scouts marins ? Tiens tiens… Je me demande si notre Jean-B. ne serait pas en train de nous faire lui aussi une entrée fracassante dans l'âge bête, chérie.

– Tu crois, chéri ?

— J'en ai bien peur, a diagnostiqué papa en me regardant gravement par-dessus ses lunettes. Raison de plus pour lui éviter l'Angleterre, tu ne crois pas, chérie ?

En fait, je n'étais pas vraiment déçu. L'année scolaire s'était finie d'une façon tellement bizarre que j'aurais bien passé toutes les vacances à la villa.

Tout ça à cause d'Hélène et de *L'Incroyable Randonnée.*

J'aimerais bien dire qu'Hélène est juste une fille que j'ai rencontrée l'an dernier aux scouts marins. Sauf que c'est un peu plus compliqué que ça... D'abord parce qu'elle est la fille du médecin-chef de papa. Ensuite parce qu'on adore tous les deux les aventures du Club des Cinq et que, quand je la ramène sur mon vélo avec ses cheveux mouillés et son petit nez couvert de taches de rousseur, j'aimerais savoir pédaler en marche arrière pour que n'arrive jamais le moment où on doit se quitter.

— Tu sais ce qu'on joue au Majestic ? m'avait demandé Hélène un soir de juin que je la raccompagnais vers chez elle sur ma bécane.

— Le dernier James Bond ?

— *L'Incroyable Randonnée* ! elle m'a hurlé dans l'oreille. Tu te rends compte ? C'est mon film préféré. Ça te dirait qu'on aille le voir tous les deux ?

Elle avait déjà sauté à terre, si légère que j'ai dû piler net quand je m'en suis aperçu.

– Tous les deux ? j'ai répété, avec l'impression que ma voix grinçait presque autant que les freins du vélo. Mais quand ? On a encore école, je te rappelle.

– Demain, elle a dit. Devant le ciné, à trois heures. Et ne me dis pas que tu ne peux pas sécher pour *L'Incroyable Randonnée.*

Comment dire non à une fille aussi décidée qu'elle ? De toute façon, elle avait déjà disparu au coin de la rue en agitant la main derrière elle.

Avec Jean-A. dans le même établissement que moi, je risquais gros s'il me voyait sortir en douce avant la fin des cours.

Tant pis ! Ce jour-là, j'ai dû battre le record du monde de sprint pour arriver à l'heure devant le Majestic.

Hélène m'attendait dans le hall, toute rose d'impatience.

– Dépêche, elle a dit en m'entraînant. Je déteste rater les bandes-annonces.

Les lumières venaient juste de s'éteindre, heureusement. On a suivi la lampe de poche de l'ouvreuse jusqu'au premier rang, et je me suis glissé sur mon siège avec l'impression que la salle tout entière avait repéré mes oreilles décollées et envoyait à mes parents des messages d'alerte à l'aide de micros miniaturisés.

– Tu comptes passer toute la séance sous ton fauteuil ? a demandé Hélène en ouvrant un paquet de gâteaux.

– Si je me fais coincer, j'ai expliqué, c'est plus les scouts marins : je prends perpète aux enfants de troupe !

Elle m'a regardé fixement.

– Tu ferais un drôle d'agent secret, dis donc.

– Tu ne connais pas mes parents…

– Chut ! elle a fait en me fourrant un Chamonix orange dans la bouche. Le film commence. Tu vas voir, tu vas adorer.

L'Incroyable Randonnée, c'est un film de Walt Disney qui raconte l'histoire de deux chiens et d'un chat qui traversent à pattes le Canada pour retrouver leurs maîtres qui les ont abandonnés.

Enfin, je crois… C'est ce que m'a raconté Hélène deux heures plus tard, quand on est sortis du cinéma.

– Mais non, leurs maîtres ne les ont pas *abandonnés* ! Ils les ont juste laissés en garde à un ami. C'est eux qui se croient abandonnés.

– Mais qui ça ?

– Les trois héros ! Dis donc, tu es vraiment bouché quand tu t'y mets ! Ça ne t'a pas plu, c'est ça ?

– Au contraire, j'ai adoré, je t'assure. C'est que...
eh bien...

Mais comment lui expliquer qu'à l'instant où elle
avait pris ma main dans le noir, au début du générique, mon cerveau avait congelé brusquement ?

Je n'avais rien vu du film, comme ces explorateurs
polaires dont les lunettes se couvrent de glace à la
seconde où ils pointent le nez hors de leur igloo. Je
n'osais pas tourner la tête, de peur qu'elle n'enlève
sa main de la mienne, et la seule chose dont je me
souviens, c'est de son petit visage tendu vers l'écran,
les cils palpitant de peur et de plaisir.

Il faisait plein jour devant le cinéma quand on est
sortis, un début de soirée tiède et doux, et c'était
étrange, brusquement, de retrouver la lumière du
dehors.

On était rentrés à pied sans un mot, moi poussant
mon vélo, elle marchant de l'autre côté comme si
rien ne s'était passé.

Puis, à l'instant de se séparer :

– Qu'est-ce que tu fais cet été ? elle avait demandé.

– Je ne sais pas encore. Et toi ?

– La Bretagne, elle avait dit d'une voix sinistre.
Comme chaque année.

J'avais voulu plaisanter.

– Ton père a une île à Kernach, lui aussi ? Comme
Claude, dans le Club des Cinq ?

Elle a haussé les épaules.

– Même pas, elle a dit sans sourire. En fait, je déteste les grandes vacances.

– Moi pareil, j'ai dit.

Elle a manqué d'ajouter quelque chose, puis elle a fouillé dans sa poche et m'a tendu un bout de papier.

– Tiens. Mon adresse en Bretagne.

– Merci, j'ai dit, sans trop savoir quoi en faire.

– Comme ça, tu pourras m'envoyer ton roman, quand tu auras fini de l'écrire. Enfin, si tu en as envie…

– Bien sûr, j'ai dit, sans oser lui avouer que je l'avais à peine commencé.

– Tu me promets ?

– Juré craché, j'ai dit.

– Alors, salut.

– Salut.

Elle s'éloignait quand elle a fait brusquement demi-tour.

– Tu crois que si je l'abandonnais, il serait capable de remonter ma trace jusqu'en Bretagne ?

– Qui ça ?

– Tu sais bien : Pouchkine, mon chat.

– Pourquoi tu demandes ça ?

– Parce qu'il est trop indépendant. Jamais il ne pourrait voyager avec un chien. Alors, avec deux, tu penses, ce serait une bagarre permanente.

– Pas besoin de chiens, j'ai dit. Les chats aussi ont

du flair. Le tien pourrait te retrouver à des milliers de kilomètres s'il se perdait.

– Tu crois ?

– J'ai lu une histoire là-dessus, dans l'*Album des jeunes*.

– Une histoire vraie ?

– Tout ce qu'il y a de plus vrai.

Elle a paru rassurée.

– Tant mieux. De toute façon, on l'emmène avec nous.

– Et tu pars quand ?

– Après-demain. Salut, alors...

– Salut.

Elle s'était éloignée et, cette fois, c'est moi qui l'avais rattrapée.

– Au fait, tu sais ce qu'il raconte, le roman que j'écris ?

– Non. Dis-moi.

– Tu ne vas pas me croire : justement une histoire de chat.

– Sans rire ?

– Sans rire. Surtout qu'il est mort, au début...

– Mort comme Diabolo ?

– Pareil. Sauf que le chat de mon livre revient en chat fantôme. Et comme son maître est un espion, il lui donne des missions à accomplir, comme de voler des microfilms dans une base secrète.

Elle avait l'air moins triste, tout à coup.

– Ça a l'air bien, ton histoire. Et qu'est-ce qui se passe après ?

– Je ne sais pas encore. Je te l'enverrai dès que je l'aurai écrite.

– Promis ?

– Juré craché.

Elle avait hésité à partir. Au dernier moment, elle m'avait tendu quelque chose.

– Tiens. C'est pour toi.

– Pour moi ?

– Un bracelet scoubidou, elle avait expliqué en montrant son propre poignet. C'est moi qui les fabrique. Comme ça, on aura le même.

J'avais eu du mal à l'attacher d'une seule main, alors elle avait fait le nœud elle-même en tirant un peu la langue.

– T'es pas obligé de le porter, tu sais. Tu peux juste le garder dans ta poche, ou dans une boîte.

– Je ne l'enlèverai jamais, j'avais promis.

– Tu ne trouves pas que ça fait trop fille ?

– Tu rigoles ? j'avais dit. On dirait un bracelet de force comme en portent les rois du catch.

Elle avait souri.

– Je ne voudrais pas que tes frangins t'embêtent à cause de moi.

J'avais haussé les épaules.

– Tu crois que j'ai l'âge d'être embêté par des minus ?

– Tu n'auras qu'à leur dire que c'est un talisman cheyenne.

– C'est ce que je ferai.

– Promis ?

– Juré craché.

– Alors, salut…

– Salut.

Elle s'était éloignée à reculons, m'avait adressé un minuscule signe de la main, puis elle était partie pour de bon.

J'avais cherché désespérément quelque chose à dire pour la rappeler, mais il était déjà tard, et j'avais sauté sur mon vélo comme un idiot, les jambes tellement molles qu'il m'avait semblé mettre des heures pour arriver à la maison.

On s'ennuie

Cet été-là, finalement, on est allés à Saint-Vivien. Juste nous six et maman.

C'est papa qui en avait eu l'idée. Il nous mettrait tous au train, papy Jean viendrait nous chercher à la gare et papa, qui n'avait pas beaucoup de vacances, nous rejoindrait pour la fin du séjour.

– Un mois de repos te fera le plus grand bien, chérie. De vraies vacances de célibataire !

– Avec mes parents et six enfants, a nuancé maman.

– C'est vrai, chérie, a admis papa avec un petit rire. Mais pense à tous ces plaisirs simples et bucoliques qui t'attendent : la joyeuse petite bande qui saute du lit le matin...

– Et qu'il faut rattraper un à un pour leur faire prendre leur douche.

– Pour le déjeuner, quelques bons gros œufs à la coque venus tout droit de la ferme...

– Trois douzaines, a précisé maman.

– Les longues siestes à l'ombre du noyer...

– Si le voisin ne sort pas son tracteur.

– Les meules dorées par le soleil couchant...

– Jean-C. a le rhume des foins.

– Les nuits d'été...

– Glaciales.

– Bref, a résumé papa avec enthousiasme, je t'envie, chérie. Quand je pense au travail qui m'attend pendant que tu profiteras de tout ça !

En fait, maman déteste la campagne. Pas de chance pour elle : comme on est trop nombreux pour aller souvent à l'hôtel, papy Jean et mamie Jeannette ont acheté à Saint-Vivien une grande maison de famille où nous accueillir tous les huit pendant les vacances.

Quand on avait déménagé de Cherbourg à Toulon, on avait passé là un super été. On était allés à la pêche avec papy Jean, papa s'était disputé avec mamie Jeannette, on avait envoyé des messages accrochés à un cerf-volant et, quand les cousins Fougasse étaient venus nous voir, on leur avait fait manger tellement de prunes encore vertes qu'ils avaient tous attrapé la colique.

– Alors, qui vote pour des vacances de rêve à Saint-Vivien ? a interrogé papa.

Seuls les moyens et les petits ont levé la main.

– Adopté à l'unanimité, a déclaré papa avec satisfaction.

– J'ai pas voté pour ! a protesté Jean-A. Et Jean-B. non plus !

– Je vous conseille vivement de le faire, a dit papa. Sauf si vous voulez être de corvée de vaisselle jusqu'à votre majorité.

On a bien été obligés de dire oui.

– Eh bien ! a triomphé papa en se tournant vers maman, puisque tout le monde est emballé par cette proposition, si nous fêtions dès ce soir votre départ ?

– Tu veux *fêter notre départ* ? a répété maman.

– Je voulais dire : vos futures vacances, s'est rattrapé papa.

– Je préfère, a dit maman.

– À propos, a remarqué soudain Jean-A. Qui va garder Dick pendant qu'on sera à Saint-Vivien ?

– Et Batman, mon chinchilla ? a demandé Jean-C.

– Et Wellington et Zakouski, mes poissons rouzes ? a zozoté Jean-E.

– Et mon cochon d'Inde ? s'est inquiété Jean-D.

– Et Meftou, ma to'tue ? a gargouillé Jean-F. à qui il manquait une dent de devant.

On s'est tous tournés vers papa qui a blêmi d'un seul coup.

– Sapristi ! J'avais oublié ce détail.

Maman a eu un petit sourire.

– Pense à la vie rêvée de célibataire qui t'attend, chéri. Dick qui aboie pour sortir dès six heures du matin… La litière du cochon d'Inde à changer tous les jours… La tortue à retrouver dans le jardin… Tes chaussettes éparpillées par Batman aux quatre coins de la maison… Vraiment, je t'envie !

– La prochaine fois que je propose une idée pour les vacances, chérie, a dit papa d'une voix sinistre, rappelle-moi d'interdire le droit de vote dans cette maison, tu veux bien ?

Moi, rester à la villa ou aller à Saint-Vivien m'était bien égal.

Depuis qu'Hélène m'avait pris la main au cinéma, je me sentais bizarre. Toute l'année scolaire, j'avais rêvé des grandes vacances, et maintenant qu'elles commençaient, je n'avais plus envie de rien.

Qu'est-ce qui m'arrivait ? C'était la première fois qu'une fille me faisait cet effet-là. Sans me vanter, je suis plutôt du genre nerfs d'acier. Quand je

serai agent secret plus tard, les fausses héroïnes en
détresse envoyées par le KGB pourront toujours
s'accrocher pour m'embobiner avant de voler les
codes nucléaires dans la poche de mon smoking !

Tout le contraire de ce pauvre Jean-A... Lui, en
une seule année, était tombé amoureux de *toutes*
les filles qu'il avait rencontrées. Celle de sa famille
d'accueil en Angleterre, d'abord, puis chacune des
élèves de son cours de latin, l'une après l'autre, tout
en continuant à envoyer des lettres pleines de cœurs
percés d'une flèche à sa chérie Victoria Smith.

– Ça t'est déjà arrivé, à toi, de... euh... comment
dire..., j'avais voulu lui demander le lendemain du
cinéma.

– De quoi, banane ? il avait fait sans lever le nez
de sa guitare.

– Eh ben, qu'une fille... euh...

– Quoi, une fille ? il avait rugi.

– Rien.

– *Rien* ? Alors pourquoi tu m'interromps pendant
que je compose la chanson du siècle ?

– Parce que c'est une chanson ? j'avais ricané en
quittant la chambre. J'ai cru que tu t'étais coincé
les doigts dans la porte.

Tant pis pour moi. Quelle idée, aussi, de demander conseil sur les filles à un frère qui a plongé la
tête la première dans l'âge bête !

Hélène avait beau être déjà en Bretagne, quitter Toulon m'a fait un drôle de pincement au cœur, comme si je mettais des années-lumière entre elle et moi.

Un mois à la campagne à supporter mes frères, je lui ai écrit dans ma première lettre. *Tu parles de vacances! J'ai décidé de m'ennuyer à mort, de faire la tête tout le temps et de ne jamais mettre le nez dehors.*

Deux ans seulement avaient passé depuis notre premier été à Saint-Vivien. Pourtant, quand papy Jean a remonté l'allée en klaxonnant joyeusement, nos bagages tressautant sur la galerie de sa Peugeot, la maison m'a paru beaucoup plus petite que dans mes souvenirs.

On avait la même chambre qu'avant. Celle avec la collection de vieux livres qui sentent un peu le moisi et les immenses lits doubles sur lesquels on adorait sauter autrefois, avec les moyens, en se prenant pour des cosmonautes flottant en apesanteur.

Forcément, à peine arrivés, Jean-C. et Jean-D. ont commencé à rebondir sur leur matelas comme des malades. Alors, Jean-A. et moi, on s'est étalés exprès sur le nôtre en feuilletant avec ennui nos magazines de pop music.

– Si vous vous poussez pas, a prévenu Jean-C., on vous rebondit sur le bide.

– Parce que tu crois nous faire peur, peut-être ? a grommelé Jean-A.

– En plein sur le nombril, a menacé Jean-D. Et sans enlever nos chaussures pourries, en plus !

– Essaye un peu pour voir, j'ai marmonné sans bouger d'un pouce.

– On peut zouer aux cosmonautes, nous aussi ? a fait Jean-E. en déboulant à son tour, suivi comme son ombre par Jean-F.

– Dégagez. On a plus l'âge de jouer à vos jeux débiles, on a marmonné, Jean-A. et moi.

– Alors battez-vous, bande de chacaux ! nous a lancé Jean-C. en s'armant d'un polochon.

Jean-D. s'est rangé à ses côtés.

– Battez-vous, bande de chacaux ! il a répété, avant de se pencher à l'oreille de Jean-C. : C'est quoi, des chacaux ?

– Le pluriel de chacal, imbécile, a fait Jean-C.

– Quelle banane, ce Jean-C., s'est esclaffé Jean-A. Si vous vous tapiez dessus entre vous, les nabots ?

Faute d'adversaires à leur niveau, Jean-C. et Jean-D. se sont mis à errer dans la chambre comme des âmes en peine, leur polochon à la main, poursuivis par Jean-E. et Jean-D.

– Allez, les moyens, bagarrez-vous avec nous !

suppliaient les petits. Promis, on vous donnera des bonbecs.

– On joue pas avec des microbes, ont grincé les moyens.

– Qu'est-ce que vous faites, les enfants ? a demandé maman en passant la tête par la porte de la chambre.

– On s'ennuie ! on a répondu tous les six d'une voix lugubre.

– Ça tombe bien, a dit maman. Allez donc aider votre grand-mère à mettre la table pour le dîner. Ça vous fera une saine occupation.

Tu parles d'une occupation ! Les vacances commençaient bien.

Heureusement, il y avait papy Jean.

Le matin, après le petit déjeuner, il emmenait les moyens et les petits s'occuper des moutons. Il en avait six, rassemblés dans un enclos au bout de la prairie. De loin, on aurait dit les santons qu'on dispose devant la crèche, à chaque Noël. D'autres fois, il les faisait bricoler dans son établi, ou les laissait entrer dans la volière pour nourrir ses oiseaux et changer leur eau.

Jean-A. et moi, on en profitait pour faire la grasse matinée. Comme maman déteste ça, on ne s'était pas plus tôt recouchés qu'elle débarquait avec mamie Jeannette, aspirateur et chiffon à poussière à la main.

On avait beau grogner comme des putois, Jean-A. et moi, et nous fourrer la tête sous l'oreiller, rien à faire.

— Il fait trop beau pour traîner au lit. Si vous alliez plutôt au village acheter du pain ? À moins, bien sûr, que vous ne préfériez nettoyer à fond cette porche... euh... cette chambre de garçons.

On partait en pestant, Jean-A. et moi, pédalant si mollement sur nos vélos qu'on tirait des bords d'un côté à l'autre de la route. Au village, on rôdait chez le marchand de journaux en cherchant désespérément des magazines sur nos idoles des jeunes préférées.

— Qu'est-ce que tu fabriques ? s'énervait Jean-A. quand il me voyait m'éloigner discrètement vers le bureau de poste.

— Rien, rien, je disais, attendant qu'il ait le dos tourné avant de glisser dans la boîte une nouvelle lettre pour Hélène. Et toi, à quoi tu joues ?

— Occupe-toi de tes oignons, il disait en disparaissant à son tour, une carte postale dépassant de sa poche revolver.

Après, on devait sprinter jusqu'à la boulangerie avant qu'elle ne ferme, et on rentrait comme des bolides, le nez sur le guidon, parce qu'il était midi et qu'on allait se faire tuer si on arrivait en retard pour le déjeuner.

L'après-midi, pendant qu'elle prenait le café en papotant avec papy Jean et mamie Jeannette, maman collait les petits à la sieste.

Naturellement, Jean-E. et Jean-F. en profitaient : on les entendait se castagner salement dans leur chambre, et ils émergeaient une heure plus tard, les cheveux en bataille, après s'être frotté les yeux à mort pour faire croire qu'ils sortaient d'un sommeil réparateur.

C'est le moment que je préférais. Jean-C. et Jean-D. faisaient un puzzle géant sur la table de la cuisine, Jean-A. lisait en bâillant, vautré la tête en bas en travers d'un fauteuil.

Je choisissais ce moment pour filer en douce avec ma trousse, un cahier et du papier à lettres m'installer dans le hangar de papy. J'avais trouvé un coin tranquille, derrière une pile de bois. Je mettais le lecteur de cassettes au minimum, pour que personne ne l'entende, et j'écrivais pendant des heures en écoutant en boucle la musique de *L'Incroyable Randonnée*.

Je ne t'ai pas dit, je racontais à Hélène, *mais j'ai arrêté mon histoire de chat fantôme. J'en ai commencé une bien mieux à la place : celle de deux collégiens judokas qui ont fondé un club de détectives. Je n'en ai fait que deux chapitres pour l'instant, mais tu verras, il y a de l'action...*

J'aime bien le passage où tes héros tirent leur ami des griffes des faux-monnayeurs, m'a répondu Hélène quelques jours plus tard. *Mais j'ai une question à te poser : il n'y a jamais de filles dans tes histoires ?*

Le facteur ne passait qu'en fin d'après-midi. Embusqués chacun de notre côté derrière une fenêtre, Jean-A. et moi, on guettait sa camionnette et on faisait la course pour être le premier à prendre le courrier quand il y en avait.

Pas de pot pour Jean-A. Les lettres mettent beaucoup plus de temps à arriver d'Angleterre que de Bretagne, et il repartait souvent bredouille, la tête basse, s'enfermer dans le petit cagibi où on rangeait les bottes pour grattouiller lamentablement sa guitare.

– Tu te crois malin peut-être, avec ton bracelet scoubidou ? il grinçait de jalousie.

Je ricanais avec mépris.

– Parce que tu crois que j'ai pas vu le médaillon *Peace and love* que tu caches sous ta chemisette pourrie ?

– Pauvre navet ! grommelait Jean-A. en tirant un accord déchirant de sa guitare.

– Vous venez jouer aux cow-boys avec nous dans la prairie ? réclamaient les moyens. Juste à deux, c'est vraiment pas marrant...

– Vous nous avez bien regardés ? on ricanait, Jean-A. et moi. Disparaissez avec les petits, ça nous fera des vacances.

– Pour qui vous nous prenez ? s'insurgeaient les moyens. On joue pas avec les nains.

– Allez ! suppliaient les petits. On vous filera des bonbecs !

– Vous pouvez toujours courir, maugréaient Jean-C. et Jean-D.

– Qu'est-ce que vous faites, les enfants ? lançait maman à la cantonade.

– On s'ennuie ! on répondait tous les six d'une voix lugubre.

– Je ne comprends pas, disait mamie Jeannette. Cette maison ne manque pourtant pas de jeux éducatifs !

– Ça tombe bien, disait maman. Il y a du linge à plier, les douches à prendre et deux paniers de petits pois du marché à écosser pour le dîner. Ça vous fera une saine occupation.

Le soir, comme c'étaient les grandes vacances, on avait le droit de regarder un moment la télé avec les adultes. Mamie Jeannette, en général, s'endormait aussitôt, et elle ronflait tellement fort qu'on devait sans arrêt augmenter le son.

Comme les petits étaient avec nous, maman lisait d'abord soigneusement les programmes de la soirée. S'il n'y avait pas écrit « Recommandé par l'Office catholique » sous le résumé, on pouvait toujours se brosser pour voir le western ou le feuilleton policier.

Le pire, c'était quand le film avait un carré blanc.

– Ça veut dire quoi, un carré blanc ? a demandé Jean-D. le premier soir.

– Eh bien... euh..., a expliqué maman.

– Ça veut dire qu'on risque de voir de jolies pépées en soutien-gorge et des durs à cuire sirotant du cognac dans des verres ballon, l'a aidée papy Jean.

– Et c'est quoi, des pépées ? a demandé Jean-C. d'un air intéressé.

Maman a coupé court à la conversation.

– Soirée lecture, elle a décrété en refermant le programme. Tout le monde au lit, et que ça saute.

– C'est pas juste ! on a protesté tous les six. Pourquoi on peut pas regarder avec vous ?

Maman est restée intraitable.

– Même les adultes vont se coucher. Rien de tel qu'un peu de lecture pour dormir ensuite d'un bon sommeil réparateur.

Mais on était à peine au lit que papy Jean a allumé la télé en douce. Il a eu beau la mettre en sourdine, on entendait crisser des pneus derrière la cloison, des mitraillettes qui crépitaient et des héroïnes qui gloussaient comme dans les réclames pour le rouge à lèvres.

– C'était bien, papy, le carré blanc, hier soir ? on lui a demandé, Jean-A. et moi, au petit déjeuner. Y avait des pépées ?

– Quelques-unes, il a dit en nous adressant un clin d'œil.

Alors ça y est ? Tu as fini ton livre ? m'a écrit Hélène vers la fin du séjour. *De mon côté, rien à signaler. Je m'ennuie toujours autant…*

J'en ai commencé un deuxième ! je lui ai répondu. *Une autre aventure de mes deux détectives ceinture noire. Si ça se trouve, ça deviendra une super série, comme le Club des Cinq. Tu rentres quand à Toulon ?*

Quand papa nous a rejoints, il nous a trouvé une mine superbe.

– Alors, chérie, ces vacances de célibataire ? il a demandé en embrassant maman.

– Oh ! pas le temps de s'ennuyer un seul instant, a dit maman.

Aussitôt, mamie Jeannette a profité de ce que papa était en vacances pour l'envoyer aider papy Jean à retapisser le salon qui en avait bien besoin.

– Rien ne pourrait me faire plus plaisir, belle-maman, a dit papa d'une voix éteinte.

Il était venu en voiture, avec Dick. Lui aussi avait l'air super-content de nous retrouver : il nous a fait la fête à tous les six avant de partir à fond de train déterrer tout ce qu'il a pu trouver dans le potager.

– À la campagne, a décrété mamie Jeannette, les animaux dorment dehors, pas dans la maison.

– Comme vous voudrez, belle-maman, s'est incliné papa, qui semblait déjà regretter sa vie de célibataire à Toulon.

Dick a passé sa première nuit à Saint-Vivien attaché à une chaîne dans le hangar à tracteur. Il a tellement aboyé que personne n'a pu dormir et, la nuit suivante, mamie Jeannette lui a installé un coin dans la cuisine, avec une écuelle remplie d'eau et un vieux coussin défoncé.

La semaine avec papa et Dick a passé très vite.

Un soir, après le dîner, on a fait entre hommes des jeux Olympiques de crapette. Pendant ce temps, maman et mamie Jeannette papotaient sur un canapé, au milieu des échelles et des rouleaux de papier peint qui encombraient le salon. Papa avait encore de la colle à tapisserie plein les cheveux, mais comme il a gagné et que papy Jean et lui s'étaient servi un petit digestif, il était d'excellente humeur.

– On recommencera, demain ? on a tous demandé.

– Bien sûr, ont dit papa et papy Jean. Et ça va sacrément barder !

Sauf que le lendemain soir, après le dîner, papa nous a tous expédiés au lit avec un bon livre.

– C'est pas juste ! on a râlé. Tu avais promis !

– Demain, a dit papa. Parole de marin !

On a compris pourquoi quand on a entendu des pneus crisser et des gloussements de pépées derrière la cloison. Il y avait un film à carré blanc : papa et papy Jean, qui avaient tapissé toute la journée, avaient bien le droit de le regarder entre adultes en sirotant un petit digestif.

Ça a été de super vacances, en fait, et quand est venu le moment de rentrer, on était tous tristes de quitter Saint-Vivien.

– Pourquoi on peut pas rester ? se lamentaient les petits et les moyens. On s'amusait trop bien !

– Tiens tiens, a dit maman. Je croyais au contraire que vous vous étiez ennuyés tout le séjour.

– Ce sera pire à la villa, se sont plaints Jean-C., Jean-D., Jean-E. et Jean-F. Y a rien à faire, à Toulon !

– Ça tombe bien, a dit maman. Vous avez vos cahiers de vacances à commencer et vos chambres à ranger à fond. Ça vous fera une saine occupation.

Moi, je n'ai rien dit du tout.
La veille du départ, j'avais reçu une dernière lettre au courrier.

Tu sais quoi ? m'écrivait Hélène. *Mes parents ont décidé d'écourter nos vacances en Bretagne ! On rentre dans trois jours. Youpi ! Entre nous, je commençais à me barber sacrément…*
Au fait, j'ai oublié de te demander : tu as toujours ton bracelet scoubidou ?

Une belle brochette de bananes

On devait dormir comme des bûches cette nuit-
là. Parce que quand des coups sourds ont retenti
dans la nuit, Jean-A. s'est dressé sur le lit du haut
en beuglant :

– Tu ne me prendras jamais vivant, Chien Noir !

De mon côté, je poursuivais un commando de
saboteurs à bord d'un sous-marin monoplace. Il y a
eu de nouveaux *boum! boum!* et j'ai cru un instant
que je venais d'être percuté par un requin-marteau
dressé pour tuer.

Il m'a fallu quelques secondes pour émerger de
mon rêve, le cœur cognant dans la poitrine comme
si j'avais manqué d'oxygène.

– Debout là-dedans! a lancé une voix que je connaissais.

On était dans notre chambre, à Toulon, et papa tambourinait à la porte.

– C'est pas nous! On a rien fait! a bredouillé Jean-A. avant de basculer vers moi.

À tâtons, j'ai trouvé la lampe torche que je garde toujours sous mon oreiller et je lui ai braqué le faisceau de lumière sur la figure. La tête en bas, les yeux écarquillés, il ressemblait à une horrible chauve-souris aux oreilles décollées.

– Quoi qu'i se passe? il a articulé d'une voix pâteuse.

– Comment je le saurais, abruti ?

Boum! boum! boum!

– Vous m'entendez, les grands? a demandé papa derrière la porte.

– Non non ! on a crié tous les deux. On dort!

Papa ne s'y est pas laissé prendre.

– Habillez-vous dare-dare, il a lancé. Rassemblement au salon dans cinq minutes.

– Mais c'est le milieu de la nuit! j'ai protesté en consultant les aiguilles phosphorescentes de ma montre.

Il était presque onze heures. Déjà papa s'était éloigné et on l'a entendu qui cognait à la porte des moyens.

Jean-A. a glissé en gémissant à bas de son lit.

– C'est décidé, il a dit. Demain, je porte plainte pour mauvais traitements et je me fais adopter par une famille de richissimes milliardaires.

– Parce que tu crois qu'ils voudront d'un binoclard comme fils unique ? j'ai grogné.

C'était au mois d'août, deux semaines après notre retour des vacances à Saint-Vivien.

J'avais passé l'après-midi à me planquer dans la colline avec Hélène pour empêcher que les moyens nous espionnent. On avait emporté une boussole, un paquet de Chamonix orange et ma gourde de vélo remplie à ras bord de citronnade. On avait les genoux écorchés à force de courir au milieu des ronces et, dans la cachette qu'on s'était aménagée, on s'était bourrés de mûres encore vertes, allongés sur le ventre, en lisant la dernière aventure de Langelot agent secret qu'Hélène avait reçue pour son anniversaire.

À huit heures, ce soir-là, j'étais au lit, l'oreille collée à mon transistor. C'était la reprise du championnat de foot, mais je n'avais même pas pu écouter la fin de la première mi-temps : je m'étais endormi aussitôt.

Quand on a titubé jusqu'au salon, Jean-A. et moi, les autres étaient déjà là. Jean-C. essayait d'enfiler ses deux pieds dans la même jambe de pantalon, Jean-D. bâillait à s'en décrocher la mâchoire et Jean-E. avait la joue tellement froissée par son oreiller qu'on aurait dit un personnage de dessin animé.

Il n'y avait que Jean-F. qui courait partout, et Dick, tout excité de nous voir debout, qui faisait des dérapages avec Batman sur le carrelage du salon en aboyant comme un fou.

Jean-A. a bien tenté de protester :

– Si on peut plus pioncer tranquille dans cette baraque...

– Pardon ? a fait papa en levant un sourcil.

– Euh... si on peut plus s'adonner à un sommeil réparateur dans cette maison, s'est rattrapé Jean-A.

– J'aime mieux ça, a dit papa.

– Zuste quand ze faizais de zolis rêves..., a gémi Jean-E. en se frottant les yeux avec les poings.

– Plus un mot, a coupé papa. Vous aurez toute la fin des vacances pour faire la grasse matinée.

Pour qu'il nous réveille en pleine nuit, il n'y avait pas trente-six raisons. Soit il avait découvert que l'un d'entre nous avait cassé la vitre de Mme Schwartzenbaum, notre voisine sourde comme un pot, soit des soucoupes volantes s'apprêtaient à dévaster la Terre à coups de rayons laser surpuissants.

– Prenez un pull et filez à la voiture, il a ordonné.

– À la voiture ? on a répété. Pour aller où ? Qu'est-ce qui se passe ?

Papa a regardé sa montre avant d'attraper Dick et de lui mettre sa laisse.

– Toi, tu viens avec nous, il a dit sans nous répondre. Pas question de te laisser à la maison.

– Et Batman ? a demandé Jean-C. On l'emmène aussi ?

– N'exagérons rien, a dit papa.

Même maman n'avait pas l'air de bien comprendre ce qui arrivait.

– Tu es vraiment sûr que tout cela est bien prudent, chéri ?

– Fais-moi confiance, a assuré papa.

– Après tout, a soupiré maman, c'est toi le chef de famille.

On s'est tous entassés dans la 404 familiale. Le coffre était plein, alors il a fallu prendre Dick entre nos jambes. Quand papa a mis le contact, on l'a entendu qui murmurait entre ses dents :

– J'espère seulement qu'on arrivera à temps…

À temps pour quoi ?

La nuit était noire et il conduisait si vite qu'on avait du mal à voir où on allait.

– Vous croyez qu'on est tous expédiés à l'École des enfants de troupe ? s'est inquiété Jean-D.

– Non : à l'École des somnambules, j'ai ricané.

– C'est Mme Schwartzenbaum, a deviné Jean-C. Elle a lancé des tueurs sans pitié à nos trousses, à cause de la vitre pétée…

– Pourquoi pas Interpol, tant que tu y es ? a ricané Jean-A. à son tour.

N'empêche, il n'arrêtait pas de se retourner pour voir si on n'était pas suivis.

Lorsqu'une forêt de mâts est apparue dans la lumière des phares, on a compris qu'on était arrivés au port de plaisance.

On s'est tous regardés. Qu'est-ce qu'on fichait au port, à cette heure de la nuit ?

– Z'ai compris, a claironné Jean-E. On va voir une zoute !

Quelques jours plus tôt, on avait assisté à un super spectacle dans la rade de Toulon. Ça s'appelle une joute nautique, et c'est un peu comme un tournoi de chevalerie, mais sur la mer. Chaque équipe dispose d'un bateau décoré de fanions, de rameurs et d'un champion armé d'une lance qui doit faire tomber à l'eau le champion de l'équipe adverse.

– Pas exactement, mon Jean-E., a corrigé papa en ouvrant le coffre de la voiture. Tenez, enfilez ça, les gars, il a ajouté en nous distribuant des gilets de sauvetage. Et toi aussi, chérie.

Il faisait trop sombre pour le voir mais Jean-A. a dû devenir couleur d'endive.

– On sort en bateau ? il a gémi. Dans le noir ?

– Ce n'est pas ça qui va nous faire peur, a dit papa. Et n'oubliez pas que nous avons avec nous un authentique scout marin, n'est-ce pas, Jean-B. ?

Il avait même prévu un gilet pour Dick, ce qui n'était pas vraiment utile vu le nombre de fois où il avait fugué pour aller se jeter dans le port.

Les quais étaient tout juste éclairés par de minuscules lampadaires. On est montés à bord avec l'enthousiasme de galériens : les plus jeunes d'un côté avec maman et, sur l'autre bord pour équilibrer le bateau, Jean-C., Jean-A. et moi, le plus costaud de la famille.

C'était la première fois que maman mettait le pied sur le *Loup de Mer*, et elle faisait la tête de quelqu'un à qui on vient de servir une pleine assiette de légumes verts bouillis.

Ça n'a pas entamé la résolution de papa.

– Larguez les amarres, moussaillons, il a ordonné quand tout le monde a été installé. Et en route pour l'aventure !

Debout à la barre, la pipe entre les dents, il s'est faufilé avec habileté entre les bateaux au mouillage. Dick, assis à la proue, humait l'air tiède de la nuit en jappant joyeusement.

C'était étrange de naviguer ainsi dans l'obscurité. Le ciel au-dessus de la rade était noir, la mer couleur d'encre. Le moteur faisait *pout pout pout!* et quand papa l'a coupé on n'a plus entendu que les dents de Jean-D. qui s'entrechoquaient.

— T'as la pétoce ou quoi ? a rigolé Jean-E.

En fait, on avait tous un peu la pétoche. Je ne sais pas pourquoi cette image m'a traversé l'esprit : c'était un peu comme d'être engloutis dans le chapeau haut de forme d'un magicien.

Heureusement que papa est très fort comme marin.

— Hisse la voile, mon Jean-B., puis borde le foc, il m'a demandé comme si j'avais été champion du monde de régates. Et attention à la bôme, vous autres : il y a du zef, ce soir. Ce n'est pas le moment d'être précipités à l'eau.

— Tu ne crois pas que nous sommes assez loin, chéri ? a fait maman d'une toute petite voix.

— Quelle heure est-il ? a demandé papa sans répondre.

— 'nuit moins sept, a articulé Jean-A., le cœur au bord des lèvres.

— Cap sur la haute mer, alors, a décidé papa. Et ouvrez grand vos yeux, les enfants. Le spectacle va bientôt commencer.

— Le pestacle ? a répété Jean-F. avec enthousiasme. Quel pestacle ?

– Est-ce qu'on peut attraper le scorbut, la nuit ? s'est inquiété Jean-C.

– Silence, moussaillons, a dit papa. Faites confiance à votre capitaine.

On venait juste de sortir de la rade. L'horizon s'est brusquement découvert et on a tous poussé un « Oh ! » de surprise : une myriade de points lumineux scintillaient au loin.

On n'était pas les seuls à s'être aventurés au large. On devinait les lanternes de barques de pêche, les feux de navigation de voiliers, des bateaux de croisière décorés de lampions. Tous étaient immobiles, comme s'ils attendaient quelque chose.

Papa, à son tour, a mis en panne. Il n'y a plus eu aucun bruit, juste le clapotis léger de l'eau sous la coque. Même Dick, à la proue, ne bougeait plus. Les oreilles dressées, il fixait la côte au loin, les narines frémissantes.

Papa s'est assis sur le plat-bord et a pris la main de maman.

– Alors, mes Jean ? Que pensez-vous de ma petite surprise ?

Serrés les uns contre les autres, on devait ressembler aux rescapés d'un naufrage.

– Quelle surprise ? on a grogné.

Papa ne s'est pas laissé démonter par notre mauvaise humeur.

– Qui peut me rappeler quel jour on est ?

– Quelle *nuit*, plutôt, a corrigé Jean-D. en bâillant sans mettre la main devant sa bouche.

– Si tu veux, a dit papa. Alors ?

– Le 15 août, a grommelé Jean-A. Même qu'on sera le 16 dans exactement trente sec…

Il n'a pas eu le temps de finir.

La première fusée a déchiré le ciel en sifflant, suivie d'une deuxième, puis d'une troisième. Il y a eu une pétarade assourdissante et une gerbe d'étincelles a illuminé le ciel avant de retomber en flammèches comme les feuilles d'un immense palmier multicolore.

– Une attaque de sous-marin ! a bredouillé Jean-A.

– Un fils d'artifeux ! s'est écrié Jean-F.

– Exactement : un feu d'artifice, a triomphé papa. Le grand feu d'artifice du 15 Août, tiré chaque été depuis la rade ! Attendez-vous à du grand spectacle, les enfants.

Bouche bée, on regardait la nuit qui crépitait et semblait s'enflammer au-dessus de nos têtes. On se serait crus au milieu d'une canonnade entre bateaux pirates. Ça sentait la poudre, les fusées partaient en rafales, sifflaient, ronflaient, puis explosaient en dessinant des fleurs géantes.

À chacune, on criait tous les huit :

– Oh ! la belle bleue ! Oh ! la belle rouge !

La tête posée sur l'épaule de papa, maman avait le visage illuminé. Jamais je n'aurais pensé qu'elle aimait les feux d'artifice, elle qui déteste les pétards et les pistolets à amorces.

Seul Dick, dès la première fusée, avait filé se cacher dans la cabine où il hurlait à la mort.

Ça a duré près d'une demi-heure, peut-être plus. Difficile de se rendre compte dans tout ce raffut. On était comme hypnotisés, gigotant tellement pour tout voir que le voilier tanguait dangereusement.

Quand est venu le moment du bouquet final, on aurait dit l'éruption d'un volcan. Des jets de lave jaillissaient sans fin vers le ciel, explosant dans un fracas assourdissant.

– Si ça continue, m'a hurlé Jean-A. dans l'oreille, on va tous finir durs de la feuille comme Mme Schwartzenbaum !

Puis le silence est retombé brusquement, avec les dernières fumées colorées qui flottaient encore dans la nuit.

– C'est déjà fici, le fesse d'artineux ? a demandé Jean-F. en bégayant d'émotion.

Il avait les yeux qui pétillaient presque autant que s'il avait bu d'un coup trois litres et demi de boisson gazeuse.

– Pas encore, a fait papa. Il reste la touche finale.

Il a plongé à son tour dans la cabine et en est ressorti avec une fusée de détresse.

– Es-tu sûr que ce soit bien raisonnable, chéri ? s'est alarmée maman en le voyant la brandir au-dessus de sa tête.

– Ne t'inquiète pas, a dit papa en la dégoupillant. Vieille tradition de gens de mer. Tu vas voir…

Au même moment, des dizaines d'autres fusées ont jailli aux quatre coins de l'horizon. Chaque bateau tirait la sienne pour fêter la fin du feu d'artifice. Un instant, elles sont montées en zigzaguant à la façon de minuscules étoiles filantes, avant de se dissoudre avec un drôle de *pschitt* ! dans l'obscurité.

Pendant de longues minutes, on n'a plus pu parler. On est restés bouche ouverte, les yeux écarquillés, à moitié sourds, comme si on venait d'essuyer un tremblement de terre de magnitude 25.

– Alors, mes Jean, a dit papa en reprenant la barre. Plus personne ne râle contre cette nuit blanche ?

– C'était trop bien ! on a dit tous en chœur.

– Surtout ta touche finale, papa, a renchéri Jean-C.

– Oh ! a dit papa modestement. Tout juste un pet de vieille à côté du vrai feu d'artifice.

L'expression nous a fait rigoler.

– N'empêche, a dit Jean-A. avec fierté, je ne savais pas que tu étais un as des fusées, papa.

Papa a tiré quelques bouffées de sa pipe.

– Bah! il suffit de maîtriser quelques notions de pyrotechnie, rien de plus.

– Ça veut dire quoi, la pyrotechnie? a demandé Jean-D.

– Qu'on rentre au plus vite se coucher avant d'attraper un rhume, est intervenue maman.

Il était plus de une heure du matin, l'air fraîchissait, et elle ne semblait pas vraiment disposée à enrichir davantage nos connaissances en matière d'explosifs.

Papa a quand même tenu à immortaliser cette nuit du 15 Août.

Il avait emporté son Kodak, soigneusement emballé dans un sac étanche. Il a attendu qu'on soit au sec sur le quai, et il a demandé à quelqu'un qui rentrait lui aussi du feu d'artifice s'il pouvait nous prendre tous les huit.

– Tous les neuf, a précisé Jean-C. Il ne faut pas oublier Dick.

– Tu as raison, a dit papa. Il fait partie de la famille, maintenant.

Il lui a fallu un bon quart d'heure pour expliquer au type comment fonctionnait le flash et comment adapter la vitesse de l'obturateur à la fermeture du diaphragme.

– Vous savez quoi ? a dit le type qui commençait à perdre patience. Je compte jusqu'à trois, vous dites « *cheese !* » et on n'en parle plus, d'accord ?

– D'accord, a soupiré papa. Si j'avais su, j'aurais apporté mon retardateur...

La photo occupe toute une page dans l'Album des Jean de cette année-là.

On est tous alignés par ordre de taille dans nos gilets de sauvetage.

Jean-F. a son sifflet de détresse à la bouche, Jean-E. dort à moitié debout, Jean-D. et Jean-C. se bourrent de coups de coude et Jean-A. a les lunettes tellement embuées qu'on dirait qu'il sort tout habillé d'un sèche-linge.

Il n'y a que moi qui ressemble à un vrai nageur de combat de retour d'une mission sous-marine.

Papa et maman sont à côté. Maman a son joli sourire des soirées réussies, mais papa a la bouche ouverte et les sourcils en l'air parce qu'il donne un dernier conseil au type en train de prendre la photo.

Dick est au premier rang. Le cou droit, la tête de profil, il paraît veiller sur tout le monde comme un parfait chien de garde.

Sous la photo, comme à son habitude, papa a

collé une petite légende. Il a noté la date, « 15 août 1972 », puis il a cherché quelque chose de drôle à écrire en dessous.

Comme il ne trouvait pas d'idée, c'est nous qui lui avons donné la solution.

– Tu sais ce qu'on voit sur cette photo ? on a demandé.

– Une famille nombreuse ? a proposé maman.

– Les Jean-Quelque-Chose au grand complet ? a suggéré papa.

– Mieux que ça, on a tous fait en chœur.

– Quoi, alors ? ont demandé papa et maman en ouvrant des yeux ronds.

– Une belle brochette de bananes, on a dit.

Papa et maman se sont regardés.

– *Une belle brochette de bananes* ? a répété papa.

– Pourquoi pas, après tout ? a dit maman. Ça nous ressemble assez bien.

– Alors, adopté à l'unanimité ! a conclu papa avec gaieté.

Puis il a pris son stylo-plume, en a dévissé le capuchon et a écrit sous la photo « Une belle brochette de bananes » pendant qu'on rigolait tous comme des bossus.

Franchement, est-ce que ce n'est pas la meilleure légende de l'Album des Jean ?

Table

L'auteur

Jean-Philippe Arrou-Vignod est né à Bordeaux. Il vit successivement à Cherbourg, Toulon et Antibes, avant de se fixer en région parisienne. Après des études à l'École normale supérieure et une agrégation de lettres, il enseigne le français au collège. Passionné de lecture depuis son plus jeune âge, il s'essaie très tôt à l'écriture et publie son premier roman à l'âge de vingt-six ans. Il est depuis l'auteur de nombreux ouvrages, pour la jeunesse comme pour les adultes.

Du même auteur chez Gallimard Jeunesse
FOLIO CADET
L'Invité des CE2, n° 429

FOLIO JUNIOR
Agence Pertinax, filatures en tout genre, n° 799
Bon anniversaire !, n° 1176
Le Collège fantôme, n° 1108
Magnus Million et le Dortoir des cauchemars, n° 1630
Mimsy Pocket et les Enfants sans nom, n° 1753
Histoires des Jean-Quelque-Chose
L'Omelette au sucre, n° 1007
Le Camembert volant, n° 1268

L'illustratrice

Dominique Corbasson est née en 1958 à Paris. Diplômée de l'École nationale supérieure des arts appliqués et des métiers de l'art, elle a été styliste avant de devenir illustratrice. Elle travaille également pour la presse et la mode.

Retrouvez les autres histoires des Jean-Quelque-Chose...

L'omelette au sucre

Si vous avez un jour caché dans votre chambre un petit chien trouvé dans la rue, si vous aimez l'odeur de chlore de la piscine municipale, si vous rêvez de partir en vacances à la montagne, d'avoir un cochon d'Inde et des souris blanches, lisez *L'omelette au sucre* !

Le camembert volant

Pour tous ceux qui ont un grand-père super-héros, pour les spécialistes du déménagement, pour les amoureux des vacances à la campagne, pour ceux qui mettraient bien une dérouillée à leurs cousins aux oreilles décollées, embarquement immédiat à bord du *Camembert volant*!

La soupe de poissons rouges

Comment apprivoiser un coq féroce ? Survivre aux pâtisseries d'une voisine dure de la feuille ? Mettre une raclée à la terrible bande des Castors ? Avoir Wellington et Zakouski comme animaux de compagnie ? Rien de plus simple : dégustez *La soupe de poissons rouges.*

Des vacances en chocolat

Vous voulez partir à huit à l'hôtel des Roches Rouges ?
Assister à une étape du Tour de France ? Passer en
cachette de vos parents une soirée au cirque Pipolo ?
Rien de plus simple : demandez le programme des
Vacances en chocolat !

La cerise sur le gâteau

Qui est cette Victoria Smith à qui Jean-A. écrit en douce? Où Jean-B. a-t-il rencontré Hélène, la fille du médecin-chef de papa? Comment Diabolo est-il devenu le chat de la famille? Réponses dans *La cerise sur le gâteau*.

Cinq savoureuses histoires
des Jean-Quelque-Chose au menu !

Le papier de cet ouvrage est composé de fibres naturelles,
renouvelables, recyclables et fabriquées à partir de bois
provenant de forêts gérées durablement.

Mise en pages : Maryline Gatepaille

Loi n° 49-956 du 16 juillet 1949
sur les publications destinées à la jeunesse
ISBN : 978-2-07-058023-1
N° d'édition : 294398
Dépôt légal : mars 2016

Achevé d'imprimer sur Roto-Page
par l'imprimerie ❧ Grafica Veneta S.p.A.
Imprimé en Italie

Album
des Jean

Des vacances de rêve à Saint-Vivien

Tu tires ou tu pointes ?

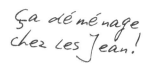

Ça déménage
chez les Jean !

L'invitée surprise
de Jean-B.

À la piscine municipale de Cherbourg

Un Noël inoubliable...

Les cousins Fougasse nous ont encore gâtés !

Notre nouvelle voiture !

Bonne communion,
Jean-A. .!

Call me John-A.

Prêts à affronter les pistes !

Médaille d'or du tire-fesses...

La photo mystère

Super papy et super mamie

Joyaux de la Normandie médiévale

Mme Schwartzen~~muckebaum~~,
notre voisine dure de la feuille

Une vraie ménagerie!